E a vida continua...

Francisco Cândido Xavier

E a vida continua...

Pelo Espírito
André Luiz

Copyright © 1968 *by*
FEDERAÇÃO ESPÍRITA BRASILEIRA — FEB

35ª edição – 16ª impressão – 4 mil exemplares – 6/2024

ISBN 978-85-7328-821-6

Todos os direitos reservados. Nenhuma parte desta publicação pode ser reproduzida, armazenada ou transmitida, total ou parcialmente, por quaisquer métodos ou processos, sem autorização do detentor do *copyright*.

FEDERAÇÃO ESPÍRITA BRASILEIRA – FEB
SGAN 603 – Conjunto F – Avenida L2 Norte
70830-106 – Brasília (DF) – Brasil
www.febeditora.com.br
editorial@febnet.org.br
+55 61 2101 6161

Pedidos de livros à FEB
Comercial
Tel.: (61) 2101 6161 – comercial@febnet.org.br

Adquirindo esta obra, você está colaborando com as ações de assistência e promoção social da FEB e com o Movimento Espírita na divulgação do Evangelho de Jesus à luz do Espiritismo.

MISTO
Papel | Apoiando o manejo florestal responsável
FSC
www.fsc.org
FSC® C112836

Dados Internacionais de Catalogação na Publicação (CIP)
(Federação Espírita Brasileira – Biblioteca de Obras Raras)

L953v   Luiz, André (Espírito)
          E a vida continua... / pelo Espírito André Luiz; [psicografado por] Francisco Cândido Xavier. – 35. ed. – 16. imp. – Brasília: FEB, 2024.

          264 p.; 21 cm – (Coleção A vida no mundo espiritual; 13)

          Inclui índice geral

          ISBN 978-85-7328-821-6

          1. Literatura espírita. 2. Espiritismo. 3. Obras psicografadas. I. Xavier, Francisco Cândido, 1910–2002. II. Federação Espírita Brasileira. III. Título. IV. Coleção.

CDD 133.93
CDU 133. 7
CDE 00.06.02

Sumário

E a vida continua... 7
Homenagem 9
  1 Encontro inesperado 11
  2 Na porta da intimidade 17
  3 Ajuste amigo 23
  4 Renovação 29
  5 Reencontro 37
  6 Entendimento fraternal 45
  7 Informações de Alzira 53
  8 Encontro de cultura 59
  9 Irmão Cláudio 67
10 Evelina Serpa 75
11 Ernesto Fantini 83
12 Julgamento e amor 91
13 Tarefas novas 101
14 Novos rumos 111
15 Momentos de análise 121
16 Trabalho renovador 129

17 Assuntos do coração 137
18 O retorno 145
19 Revisões da vida 155
20 Trama desvendada 165
21 Retorno ao passado 175
22 Bases de novo porvir 187
23 Ernesto em serviço 199
24 Evelina em ação 211
25 Nova diretriz 223
26 E a vida continua... 233
Índice geral 247

E a vida continua...

Leitor amigo,
Nada te escrevemos, aqui, no intuito de apresentar ou recomendar André Luiz, o amigo que se fez credor de nossa simpatia e reconhecimento pelas páginas consoladoras e construtivas que vem formulando do mundo espiritual para o mundo físico.

Entretanto, é razoável se te diga que neste volume, em matéria de vida *post mortem*, ele expõe notícias diferentes daquelas que ele próprio colheu em Nosso Lar,[1] estância a que aportou depois da desencarnação.

Conquanto as personagens da história aqui relacionadas — todas elas figuras autênticas, cujos nomes foram naturalmente modificados para não ferir corações amigos na Terra — tenham tido, como já dissemos, experiências muito diversas daquelas que caracterizam as trilhas do próprio André Luiz, em seus primeiros tempos na Espiritualidade, é justo considerar que os graus de conhecimento e responsabilidade variam ao infinito.

---
[1] Nota de Emmanuel: *Nosso Lar*, André Luiz.

Assim é que os planos de vivência para os habitantes do Além se personalizam de múltiplos modos, e a vida para cada um se especifica invariavelmente, segundo a condição mental em que se coloque.

Compreensível que assim seja.

Quanto maior a cultura de um Espírito encarnado, mais dolorosos se lhe mostrarão os resultados da perda de tempo. Quanto mais rebelde a criatura perante a Verdade, mais aflitivas se lhe revelarão as consequências da própria teimosia.

Além disso, temos a observar que a sociedade, para lá da morte, carrega consigo os reflexos dos hábitos a que se afeiçoava no mundo.

Os desencarnados de uma cidade asiática não encontram, de imediato, os costumes e edificações de uma cidade ocidental e vice-versa.

Nenhuma construção digna se efetua sem a cooperação do serviço e do tempo, uma vez que a precipitação ou a violência não constam dos Planos Divinos que supervisionam o Universo.

Para não nos alongarmos em apontamentos dispensáveis, reafirmamos tão somente que, ainda aqui, encontraremos, depois da grande renovação, o retrato espiritual de nós mesmos com as situações que forjamos, a premiar-nos pelo bem que produzam ou a exigir-nos corrigenda pelo mal que estabeleçam.

Leiamos, assim, o novo livro de André Luiz, na certeza de que nos surpreenderemos em suas páginas com muitos pedaços de nossa própria história, no tempo e no espaço, a solicitar-nos meditação e autoexame, aprendendo que a vida continua plena de esperança e trabalho, progresso e realização, em todos os distritos da vida cósmica, ajustada às Leis de Deus.

Emmanuel
Uberaba (MG), 18 de abril de 1968.

Homenagem

Reverenciamos o Primeiro Centenário de A gênese, *de Allan Kardec.*

André Luiz
Uberaba (MG), 18 de abril de 1968.

1
Encontro inesperado

1.1   O vento brincava com as folhas secas das árvores, quando Evelina Serpa, a senhora Serpa, decidiu sentar-se no banco que, ali mesmo, parecia convidá-la ao repouso.

Na praça ajardinada, o silêncio da tarde morna.

Raros turistas na estância mineira, naquela segunda quinzena de outubro. E, entre esses poucos, ali se achava ela, em companhia da governanta que ficara no hotel.

Afastara-se do bulício caseiro, sentindo fome de solidão.

Queria pensar. E, por isso, escondia-se sob a tolda verdejante, contemplando as pequenas filas de azáleas desabrochadas, que timbravam em anunciar o tempo de primavera.

Acomodada, rente à espessa ramaria, deu asas às próprias reflexões...

O médico amigo aconselhara-lhe revigoramento e descanso, ante a cirurgia que a esperava. E, sopesando as vantagens e os riscos da operação em perspectiva, deixava que as lembranças da curta existência lhe perpassassem o cérebro.

Casara-se seis anos antes. **1.2**

A princípio, tudo fora excursão em caravela dourada sobre correntes azuis. O esposo e a felicidade. No segundo ano após o enlace, veio a gravidez, carinhosamente esperada; no entanto, com a gravidez, apareceu a doença. Descobrira-se-lhe o corpo deficitário. Revelaram-se os rins incapazes de qualquer sobrecarga e o coração figurara-se motor ameaçando falhar. Ginecologistas ouvidos opinaram pelo aborto terapêutico e, conquanto a imensa mágoa do casal, o filhinho em formação foi arrancado ao claustro materno, à maneira de ave tenra, escorraçada do ninho.

Desde então, a viagem da vida se lhe transformara em vereda de lágrimas. Caio, o esposo, como que se metamorfoseara num simples amigo cortês, sem maior interesse afetivo. Passara facilmente para o domínio de outra mulher, uma jovem solteira, cuja inteligência e vivacidade Evelina podia aquilatar pelos bilhetes que o marido esquecia no bolso, portadores de frases ardentes e beijos pintados no papel com os próprios lábios úmidos de carmim.

O retiro e o desencanto que padecia em casa talvez fossem os fatores desencadeantes das crises terríveis de opressão que experimentava, periodicamente, na área cardíaca. Nessas ocasiões, sofria náuseas, dores cruciantes de cabeça com sensação de frio geral, que se faziam acompanhar por impressões de queimadura nas extremidades e aumento sensível da pressão arterial. No ápice da angústia, admitia-se prestes a morrer. Em seguida, as melhoras, para cair, dias depois, na mesma condição crisíaca,[2] bastando, para isso, que os contratempos com o esposo se repetissem.

Arruinara-se-lhe a resistência esvaíam-se-lhe as forças...

Por mais de dois anos, vagueara de consultório a consultório, sondando especialistas.

---

2 N.E.: Relativo a crise.

1.3 Finalmente, a sentença unânime. Tão somente uma delicada operação cirúrgica viria recuperá-la.

No íntimo, algo lhe dizia ao campo intuitivo que o problema orgânico era grave, talvez lhe impusesse a morte.

Quem poderia saber? — indagava-se.

Ouvia os pardais chilreantes, cujas vozes lhe serviam por música de fundo à meditação, e passou, de repente, a calcular quanto ao proveito da própria existência, enumerando aspirações e fracassos.

Valeria furtar-se aos perigos da cirurgia, que sabia difícil, para continuar doente, ao lado de um homem que passara a desconsiderá-la no tálamo[3] doméstico? E não seria razoável aceitar o socorro que a ciência médica lhe oferecia, a fim de recobrar a saúde e lutar por vida nova, caso o marido a abandonasse de todo? Contava apenas 26 anos; não seria justo aguardar novos caminhos para a felicidade, nos campos do tempo? Embora sentisse profundas saudades do pai, que desencarnara ao tempo em que ela não passava de frágil criança, havia crescido, na condição de filha única, sob a dedicação de carinhosa mãe, que, por sua vez, lhe dera um padrasto atencioso e amigo; ambos, com o marido, lhe constituíam a família, o lar da retaguarda.

Naquela hora, mergulhada nas virações do entardecer, mentalizava os entes queridos, o esposo, a mãezinha e o padrasto distantes...

De súbito, lembrou o pai morto e o filhinho morto ao nascer. Era religiosa, católica praticante e mantinha, com respeito à vida além da morte, as ideias que lhe eram infundidas pela fé que abraçava.

Onde estariam meu pai e meu filho? — perguntava-se. Se viesse a morrer com a moléstia de que se achava acometida, conseguiria, acaso, reencontrá-los? Onde? Não lhe era lícito pensar nisso, já que a ideia da morte lhe visitava insistentemente a cabeça?

---

3 N.E.: Leito nupcial, conjugal.

Atirara-se, avidamente, ao monólogo íntimo, quando alguém lhe surgiu à frente, um cavalheiro maduro, cujo sorriso bonachão lhe infundiu, para logo, simpatia e curiosidade. 1.4

— Senhora Serpa? — perguntou ele, em tom respeitoso.

E a um aceno confirmativo da interpelada, que não lhe escondia a surpresa, acrescentou:

— Perdoe-me a ousadia, mas soube que a senhora reside em São Paulo, onde moro também, e, por circunstâncias muito inesperadas para mim, fui informado, por pessoa amiga, de que temos ambos um problema em comum.

— Estimo ouvi-lo — disse a jovem senhora, percebendo-lhe o constrangimento.

Ante a inflexão de bondade daquela voz, o homem apresentou-se:

— Nada receie, senhora Serpa. Sou Ernesto Fantini, um criado seu.

— Encantada em conhecê-lo — falou Evelina e, fitando aquela fisionomia enrugada, que a doença abatia, acrescentou —, sente-se e descanse. Estamos numa praça enorme e, ao que parece, somos agora os únicos interessados no refazimento que ela oferece.

Encorajado pela gentileza, acomodou-se Fantini em assento próximo e voltou a expressar-se, avivando o diálogo que a atração mútua passou a presidir.

— A dona do hotel onde nos achamos fez-se amiga da governanta que lhe acompanha a viagem e vim a saber, por ela, que a senhora enfrentará também uma cirurgia de caráter difícil...

— Também?

— Sim, porque estou nas mesmas condições.

— ?

— Tenho a pressão arterial destrambelhada, o corpo à matroca. Há quase três anos, ouço os especialistas. Ultimamente, as radiografias me acusam. Tenho um tumor na suprarrenal. Pressinto seja coisa grave.

1.5 — Compreendo... — reticenciou pálida —, conheço tudo isso... O senhor não precisa contar-me. De quando em quando, deve atravessar a crise. O peito a sufocar, o coração descompassado, as dores no estômago e na cabeça, as veias a engrossarem no pescoço, as sensações de gelo e fogo ao mesmo tempo e a ideia da morte perto...

— Isso mesmo...

— Em seguida, as melhoras de algum tempo para depois começar tudo de novo, a qualquer aborrecimento.

— A senhora sabe.

— Infelizmente.

— O médico repetiu algumas vezes para mim o nome da moléstia de que sou portador. Gostaria de saber se a senhora já ouviu a mesma informação a seu respeito.

Fantini sacou do bolso minúscula caderneta e leu, em voz alta, a palavra exata que lhe definia o problema orgânico.

A senhora Serpa dissimulou a custo o desagrado que a enunciação daquele termo científico lhe causava, mas, dominando-se, confirmou:

— Sim, meu marido, em nome do nosso médico, deu-me a saber este mesmo diagnóstico, referindo-se ao meu caso.

O recém-chegado percebeu o aborrecimento da interlocutora e ensaiou bom humor:

— Deixe estar, senhora Serpa, que temos uma doença de nome raro e bonito...

— O que não impede tenhamos crises frequentes e feias — replicou ela, com graça.

Fantini contemplou o céu muito azul da tarde, como quem se propunha elevar a palestra, no rumo de planos mais altos, e Evelina seguiu-lhe a pausa, em silêncio comovido, entremostrando igualmente o propósito de alçar a conversação, sofrimento acima, sedenta de refletir e filosofar.

2
Na porta da intimidade

2.1   Não longe surgiu pequeno carro de passeio. Vinha devagar, muito devagar.

Vendo o animal que se aproximava, a passo lento, o cavalheiro disse à dama:

— Compreendo-lhe a necessidade de repouso, mas se aceita uma excursão pelas termas...

— Agradeço — respondeu —, contudo, não posso. Refazimento é agora minha maior terapêutica.

— Efetivamente, nosso caso não comporta sacudidelas.

A pequena viatura passou rente ao sossegado retiro.

Os dois perceberam a razão da marcha morosa. O veículo fora decerto acidentado e mostrava uma roda partida, avançando dificilmente; enquanto isso, o jovem boleeiro,[4] a pé, guiava o animal com extremado carinho, deixando-o quase livre.

A senhora Serpa e o improvisado amigo seguiram-nos com o olhar, até que desaparecessem na esquina próxima.

---
4 N.E.: Indivíduo que conduz os cavalos em uma carruagem.

Em seguida, Fantini fixou um grande sorriso e enunciou muito calmo:

— Senhora Serpa...

Ela, porém, cortou-lhe a frase com outro sorriso franco e corrigiu, jovial:

— Chame-me Evelina. Creio que, sendo nós irmãos numa doença rara, temos direito à estima espontânea.

— Muito bem!... — acentuou o interlocutor e aduziu: — doravante, sou também apenas Ernesto, para a senhora.

Ele deixou cair a mão descorada no encosto do banco enorme e prosseguiu:

— Dona Evelina, a senhora já leu algo de espiritualismo?

— Não.

— Pois quero dizer-lhe que a *charrete*, ainda agora sob nossa observação, me fez lembrar certos apontamentos que esquadrinhei, nos meus estudos de ontem. O interessante escritor que venho compulsando, numa definição que ele mesmo considera superficial, compreende a criatura humana como um ternário, semelhante ao carro, ao cavalo e ao condutor, os três juntos em serviço...

— Como pode ser isso? — interrogou Evelina, sublinhando a palavra de surpresa e gracejando com o olhar.

— O carro equivale ao corpo físico, o animal pode ser comparado ao corpo espiritual, modelador e sustentador dos fenômenos que nos garantem a existência física, e o cocheiro simboliza, em suma, o nosso próprio Espírito, isto é, nós mesmos, no governo mental da vida que nos é própria. O carro avariado, qual o que vimos aqui, recorda um corpo doente, e, quando um veículo assim se faz de todo imprestável, o condutor abandona-o à sucata da natureza e prossegue em serviço, montando consequentemente o animal para continuarem ambos, no curso de sua viagem para diante... Isso ocorreria, de maneira natural, na morte ou na desencarnação. O corpo de carne, tornado inútil, é restituído à terra, enquanto nosso Espírito, envergando o envoltório de matéria sutil, que, aliás, lhe condiciona a existência terrestre, passa a viver em outro plano, no qual a roupa de matéria mais densa para nada mais lhe serve...

2.3   Evelina riu-se, sem perder embora o respeito que devia ao interlocutor, e alegou:

— Teoria engenhosa!... O senhor me fala da morte, e que me diz desse trio durante o sono?

— Muito razoavelmente, no sono físico, há descanso para os três elementos, descanso esse que varia de condutor para condutor, ou melhor, de Espírito para Espírito. Quando dormimos, o veículo pesado ou corpo carnal repousa sempre, mas o comportamento do Espírito difere infinitamente. Por exemplo, depois de copioso repasto para o condutor e o cavalo, é justo se imobilizem ambos na inércia, tanto quanto o carro que carregam; entretanto, se o boleeiro se caracteriza por hábitos de estudo e serviço, quando o veículo se detém na oficina para reajuste ou reabastecimento, ei-lo que utiliza o animal para excursões educativas ou tarefas nobilitantes. De outras vezes, se o condutor é ainda profundamente inábil ou inexperiente, patenteando receio da viagem, sempre que o veículo exija restauração, ei-lo que se oculta nas imediações do posto socorrista, esperando que o carro se refaça, a fim de retomá-lo, à feição de armadura para a própria defesa.

Evelina estampou um gesto de incredulidade e obtemperou:

— Nada conheço de espiritualismo...

— É profitente de alguma religião particularizada?

— Sim, sou católica, sem fanatismo, mas francamente determinada a viver segundo os preceitos de minha fé. Pratico as instruções dos sacerdotes, crendo neles.

— A senhora deve ser louvada por isso. Toda convicção pura é respeitável. Invejo-lhe a confiança perfeita.

— Não é religioso, o senhor?

— Quisera ser. Sou um procurador da verdade, livre atirador no campo das ideias... **2.4**

— E lê espiritualismo por desfastio?

— Por desfastio? Oh! não! Leio por necessidade. Dona Evelina, a senhora esqueceu? Estamos na bica de uma cirurgia que nos pode ser fatal... Nossas malas talvez estejam prontas para uma *longa excursão*!...

— Da qual ninguém volta.

— Quem pode saber?

— Entendo — ajuntou a dama, sorrindo —, estuda espiritualismo à maneira do viajante que aspira a conhecer o dinheiro, a língua, os costumes e as modas do país estrangeiro que tenciona visitar. Informações resumidas, cursos rápidos...

— Não nego. Tenho tido mais tempo ao meu dispor e desse tempo faço hoje os investimentos que posso, nos domínios de tudo o que se relacione com as ciências da alma, principalmente com aquilo que se refira à sobrevivência e à comunicação com os Espíritos, supostos habitantes de outras esferas.

— E o senhor já encontrou a prova de semelhante intercâmbio? Conseguiu mensagens diretas com algum de seus mortos queridos?

— Ainda não.

— Isso, acaso, não lhe desencoraja a busca?

— De modo algum.

— Prefiro as minhas crenças tranquilas. A confiança sem dúvida, a oração sem tortura mental...

— Será uma bênção o seu estado íntimo e acato, com todo o meu coração, a sua felicidade religiosa; no entanto, e se houver uma outra vida à nossa espera e se a indagação aparecer em sua alma?

— Como pode falar desse modo se ainda não obteve a suspirada demonstração da sobrevivência?

— Não me é possível descrer do critério dos sábios e das pessoas de elevado caráter, que a tiveram.

2.5 — Bem — explicou-se Evelina bem-humorada —, o senhor estará com os seus pesquisadores, eu ficarei com os meus santos...

— Não faço qualquer objeção, quanto à excelência dos seus advogados — revidou Fantini no mesmo tom —, mas não consigo furtar-me à sede de estudo. Antes da moléstia, reconhecia-me seguro da vida. Comandava os acontecimentos, nem sabia, ao menos, da existência desse ou daquele órgão no meu corpo. Entretanto, um tumor na suprarrenal não é uma pedra no sapato. Tem qualquer coisa de um fantasma, anunciando contratempos e obrigando-me a pensar, raciocinar, discernir...

— Tem medo da morte? — chasqueou a moça, com fina verve.

— Não tanto, e a senhora?

— Bem, eu não desejo morrer. Tenho meus pais, meu esposo, meus amigos. Adoro a vida, mas...

— Mas?...

— Se Deus determinar a extinção dos meus dias, estarei conformada.

— Porventura, não tem problemas? Nunca sofreu a influência dos males que nos atormentam o dia a dia?

— Não diga que me vai examinar a consciência; já tenho que dar contas de mim mesma aos confessores.

E rindo-se, desembaraçadamente, reforçou:

— Admito os males que outros nos façam como parcelas do resgate de nossos pecados perante Deus; no entanto, os males que fazemos são golpes que desferimos contra nós mesmos. Supondo assim, procuro preservar-me, isto é, reconheço que não devo ferir a ninguém. Em razão disso, busco na confissão um contraveneno que, de tempos em tempos, me imunize, evitando a explosão de minhas próprias tendências inferiores.

— Admirável que uma inteligência, qual a sua, se acomode com tanto gosto e sinceridade à confissão.

— Certamente preciso saber com que sacerdote me desinibo. **2.6** Não quero comprar o Céu com atitudes calculadas e sim agir em oposição aos defeitos que carrego e, por isso, não seria correto abrir o coração diante de quem não me possa entender nem ajudar.

— Compreendo...

Retomando o trato íntimo, à base de respeitosa confiança, a senhora Serpa considerou:

— Acredite que também eu, ante a enfermidade, tenho vivido mais cuidadosa. Até mesmo na véspera de minha vinda para cá, harmonizei-me com os deveres religiosos. Confessei-me. E das inquietações que confiei ao meu velho diretor, posso dizer--lhe a maior.

— Não, não!... Não me conceda tanto... — tartamudeou Fantini, espantado com a devoção carinhosa em que Evelina se exprimia.

— Oh! Por que não? Estamos aqui na ideia de que somos amigos de muito tempo. O senhor me fala de suas preparações ante as probabilidades da morte e não me deixa tocar nas minhas?

Desataram-se ambos em riso claro e, quando a pausa mais longa se intrometeu no diálogo, entreolharam-se, de modo significativo. Um e outro fixaram no rosto inequívoca nota de susto.

A mirada recíproca lhes fazia observar que haviam caminhado, a passos compridos, para a intimidade profunda.

Onde vira antes aquela jovem senhora que a beleza e o raciocínio tanto favoreciam? — pensava Ernesto, atordoado.

Em que lugar teria encontrado alguma vez aquele cavalheiro maduro e inteligente que tão bem conjugava simpatia e compreensão? — refletia a senhora Serpa, incapaz de esconder o agradável assombro que a dominava.

O intervalo consumia segundos inquietantes para os dois, enquanto o crepúsculo, em derredor, acumulava cores e sombras, anunciando a noite próxima.

3
Ajuste amigo

3.1   Fantini percebeu que a interlocutora havia sido sulcada mentalmente pelo olhar que lhe endereçara e dispôs-se a tranquilizá-la:

— Continuemos, dona Evelina. Minha presença não lhe fará mal. Observe-me, não direi com a sua gentileza, mas sim com o seu discernimento. Sou um velho enfermo que pode ser seu pai e acredite que a vejo como filha...

A voz dele esmoreceu, de algum modo, entretanto cobrou ânimo e terminou:

— A filha que estimaria ter, em lugar da que possuo.

Evelina adivinhou o sofrimento moral que as palavras dele destilavam e reajustou a posição emotiva, sentenciando:

— O senhor não se alegraria com uma filha doente qual estou. Mas... Voltemos ao meu caso, o caso da confissão.

— Não me conte tristezas...

— Certo. Já não dispomos de muito tempo.

E continuou com um sorriso de mofa:

— Conversando com tanta franqueza, num lugar que talvez seja a antecâmara da morte para um de nós dois, desejo dizer-lhe que só um fato me perturba. Tenho as desilusões comuns a qualquer pessoa. Meu pai morreu quando eu mal completara 2 anos; minha mãe, então viúva, deu-me um padrasto, algum tempo depois; ainda na infância, fui internada num colégio de religiosas amigas e, depois disso tudo, casei-me para ter um marido diferente daquele que eu sonhava... No meio do romance, uma tragédia... Um homem, um rapaz digno, aniquilou-se por minha causa, seis meses antes do meu casamento. Precedendo o ato que lhe impôs a morte, tentou o suicídio ao ver-se posto à margem. Compadeci-me. Busquei reaproximar-me, ao menos para consolá-lo, e, quando meu sentimento balançava entre o pobre moço e o homem que desposei, ei-lo que se despede da vida com um tiro no coração... Desde aí, qualquer felicidade para mim é uma luz misturada de sombra. Embora o imenso amor que consagro a meu marido, nem mesmo a condição de mãe consegui. Vivo doente, frustrada, abatida...

3.2

— Ora, ora! — aventou Ernesto, diligenciando encontrar uma escapatória otimista. — Não se julgue culpada. Não fosse supostamente pela senhora e o moço agiria de igual modo por outro móvel. O impulso suicida, tanto quanto o impulso criminoso...

A voz dele empalideceu de novo, qual se o íntimo recusasse certas reminiscências que as palavras em curso lhe suscitavam à memória; contudo, dando a ideia de quem agia fortemente contra si mesmo, prosseguiu:

— São incógnitas da alma. Talvez sejam ápices de doenças psíquicas, demoradamente mantidas no espírito. O suicídio e o crime são de temer em qualquer de nós, porque são atos de delírio, que fundos processos de corrosão mental determinam em qualquer um.

— O senhor procura apaziguar-me com a sua nobreza de coração — exclamou Evelina, cismativa —, decerto não conheceu, até hoje, um problema assim agudo, a conturbar-lhe a consciência.

3.3 — Eu? Eu? — gaguejou Fantini, desconcertado. — Não me faça voltar ao passado, pelo amor de Deus!... Já cometi muitos erros, sofri muitos enganos...

E, no objetivo de contornar a questão sem escalpelá-la, Ernesto sorriu à força, com a maleabilidade das pessoas maduras, que sabem usar várias máscaras fisionômicas, para determinados efeitos psicológicos, e aditou:

— Não conseguiu, porventura, esquecer o moço suicida, com apoio no confessionário? O seu diretor espiritual não lhe sossegou o coração sensível e afetuoso?

— Repito que sempre encontrei na confissão de meus erros menores uma espécie de vacina moral contra erros maiores; entretanto, no caso em apreço, não obtive a paz que desejava. Admito que se não houvesse hesitado, tanto tempo, entre dois homens, teria evitado o desastre. Basta me lembre de Túlio, o infeliz, para que o quadro da morte dele se reavive em minha lembrança e, com a lembrança, surja, de imediato, o complexo de culpa...

— Não se agaste. A senhora está muito jovem. Como acontece à mão que, pouco a pouco, se caleja no trabalho do campo, a sensibilidade também se enrijece com o sofrimento na vida. Certamente, se escaparmos, com êxito, no salto que pretendemos dar para a saúde, ainda veremos muitos suicídios, muitas decepções, muitas calamidades...

A senhora Serpa refletiu alguns momentos e, dando a impressão de quem se propunha ganhar ensejo para balsamizar feridas íntimas, indagou com intenção:

— O senhor, que vem estudando as ciências da alma, acredita piamente que reencontraremos as pessoas queridas, depois da morte?

Fantini estampou um gesto de complacência e divagou:

— Não sei por que, mas, à frente de sua inquirição, veio-me à cabeça aquele pensamento do velho Shakespeare:[5] "Os infelizes não possuem outro medicamento que não seja a esperança." Tenho boas razões para crer que nos reveremos uns aos outros, quando não mais estivermos neste mundo; todavia, compreendo que a precariedade do meu estado orgânico é o agente fixador de semelhante convicção. A senhora já notou que as ideias e as palavras são filhas das circunstâncias? Imagine se nos víssemos hoje em plenitude da força física, robustos e bem apessoados, num encontro social, num baile por exemplo... Qualquer conceito a respeito dos assuntos que nos aproximam agora um do outro, seria imediatamente banido de nossas cogitações.

— É verdade.

— A moléstia aflitiva nos dá direito de entretecer novos recursos e novas interpretações sobre a vida e a morte, e, na esfera das novas conclusões que temos à frente, admito que a existência não acaba no túmulo. Estamos intimados a recordar aquela antiga ilação das novelas de amor, "o romance termina, mas a vida continua...". O envoltório de carne tombará consumido; todavia, o Espírito seguirá adiante, sempre adiante...

— O senhor costuma pensar em alguém que estimaria achar na *outra vida*?

Ele mostrou enigmático sorriso e zombeteou:

— Penso em alguém que estimaria não achar.

— Não consigo entender o trocadilho. Apesar disso, reconforta-me anotar a certeza com que me fala, acerca do futuro.

— A senhora não pode nem deve perder a confiança no porvir. Lembre-se de que é, sobretudo, cristã, discípula de um Mestre que ressurgiu da campa, ao terceiro dia, depois da morte.

A senhora Serpa não sorriu. O olhar divagou, além, nas nuvens róseas que refletiam o Sol já distante, reconhecendo-se

---

5 N.E.: William Shakespeare (1564–1616), dramaturgo e poeta inglês.

talvez sacudida nas forças profundas de sua fé por aquela inesperada observação.

3.5 Findo o longo intervalo, voltou a fitar o interlocutor e preparou a despedida:

— Bem, senhor Fantini, se houver *outra vida*, além desta, e se for a vontade de Deus que venhamos a sofrer, em breve, a *grande mudança*, creio que nos veremos de novo e seremos *lá* bons amigos...

— Como não? Se conseguir adivinhar o fim de meu corpo, conservarei firme o pensamento positivo do nosso reencontro.

— Também eu.

— Quando volta a São Paulo?

— Amanhã pela manhã.

— Tem ocasião marcada para o trabalho operatório?

— Meu marido decidirá isso com o médico; no entanto, creio que, na semana vindoura, enfrentarei o problema. E o senhor?

— Não estou certo. Questão de mais alguns poucos dias. Não desejo retardar a intervenção. Posso, acaso, saber o nome do seu hospital?

Evelina meditou, meditou... e concluiu:

— Senhor Fantini, somos ambos portadores da mesma doença, insidiosa e rara. Não será isso o bastante para aproximar-nos um do outro? Esperemos o futuro sem aflição. Se escaparmos do atoleiro, estou convencida de que Deus nos favorecerá com um novo encontro aqui na Terra mesmo... Se a morte vier, a nossa amizade, em *outro mundo*, ficará também subordinada aos desígnios da Providência.

Ernesto achou graça e ambos regressaram ao hotel, passo a passo, em comovido silêncio.

4
Renovação

4.1   Evelina somente voltou a pensar na presença confortadora de Ernesto, o amigo desconhecido, quando Dr. Caio Serpa, o esposo, a deixou naquele espaçoso apartamento de hospital, na véspera da cirurgia, no qual se via, agora, ruminando estranhas reflexões.

Era por demais jovem e estava quase que absolutamente convencida, quanto à própria recuperação, para demorar-se em quaisquer vaticínios menos felizes. Entretanto, ali, a sós, aguardando a enfermeira, as alegações de Fantini lhe perpassavam o cérebro, escaldando-lhe a imaginação.

Sim, meditava torturada, arrostaria grande risco. Talvez não regressasse à convivência dos seus... Se morresse, para onde iria? Quando menina, acreditava, de boa-fé, na existência dos lugares predeterminados de felicidade ou sofrimento, sobre os quais a antiga teologia católica regulava a posição dos homens, para lá da morte. Agora, porém, com a Ciência explorando as vastidões cósmicas, era bastante inteligente para perceber o tato com que o amadurecido confessor lhe falava das indispensáveis renovações que se impunham à esfera religiosa. Aprendera com ele, generoso e culto amigo, a conservar, inalterável, a confiança em Deus, no divino apostolado de Jesus Cristo e no ministério inefável dos santos; contudo, decidira colocar à parte, no rumo da necessária revisão, todas as afirmativas da autoridade humana sobre as coisas e causas da Providência Divina. A ideia da morte assomou-lhe à cabeça com mais força, mas repeliu-a. Queria a saúde, a euforia orgânica. Ansiava restaurar-se, viver. Deteve-se, de súbito, a esquadrinhar os problemas domésticos. Evidentemente, atravessava escabrosa fase nas relações conjugais; no entanto, tinha motivos para contar com feliz reajuste. Admitia-se em plena floração dos ideais feminis. Carecia, tão só, de reequilíbrio físico. Recuperando-se, diligenciaria remover *a outra*. Transfiguraria a área afetiva e de tal modo se propunha aformoseá-la que o esposo, decerto, lhe tornaria ao carinho, sem que fosse constrangida a usar azedume ou discussão. Além disso, reconhecia-se útil. Devia querer a vida, disputá-la a todo preço, sentir-se prestante, não apenas para os familiares, mas também para as criaturas menos felizes. Poderia, sem dúvida, diminuir a penúria onde a penúria existisse...

 A lembrança com respeito aos necessitados sensibilizou-a... **4.2** Quantos respirariam, ali mesmo, perto dela, isolados, uns dos outros, pelas fronteiras de alvenaria? Como não pensara nisso antes?

 Gastara a existência na condição de satélite de três pessoas, o marido, a genitora, o padrasto... Por que não reaver as próprias forças, renovar-se, viver? Sim, recusaria todo pensamento acerca dos fenômenos da morte e concentrar-se-ia, com todo o vigor de que se sentia capaz, no propósito de retomar-se organicamente.

 Lera muitos psicólogos e conhecera com eles a importância dos impulsos mentais. Aspirava a sarar. Repetiria isso, tantas vezes quantas fosse possível, com todos os seus potenciais de força emotiva, escolhendo as palavras carregadas de energia que lhe pudessem definir com mais segurança os estados de alma.

4.3   Ah! — disse, pensando, de si para si — nesse sentido, oraria também!...

Formulada essa ideia, esbarrou, de chofre, com a imagem de Jesus crucificado, a pender de parede próxima, e arrancou-se para ela. Contemplou o rosto sublime que o artista modelara com sentimento profundo e, cruzando as mãos sobre o peito, falou mais com a voz do coração do que com os lábios:

— Senhor, compadece-te de mim!...

Nisso, porém, ao fitar aquela cabeça coroada de espinhos e aqueles braços pregados ao lenho do sacrifício, pareceu-lhe que o Cristo estimava surgir na memória das criaturas naquela figura de dor para lembrar-lhes a fatalidade da morte.

Fundo abalo moral convulsionou-lhe os nervos; não mais sabia se lhe era lícito optar entre viver ou morrer e, escondendo o rosto entre as mãos, ajoelhou-se, humilde, à frente da escultura delicada, junto da qual pranteou copiosamente.

Alguém despertou-a, de manso:

— Chorando por quê, senhora?

Diligente enfermeira vinha requisitá-la ao serviço pré-operatório.

Evelina ergueu-se, enxugou as lágrimas, sorriu.

— Desculpe-me.

— Sou eu que a incomodo, senhora Serpa — rogou a jovem —; perdoe-me se lhe perturbo as orações; no entanto, urge aprestar-se. Além disso, o esposo aguarda ocasião para entrar.

A doente obedeceu, ausentando-se do quarto, por algum tempo, e retornando, logo após.

O marido esperava-a, folheando jornais do dia.

— Então — bisbilhotou ele, fingindo-se bem-humorado —, agora, o *salão de beleza*; amanhã, o retorno à saúde.

4.4 A voz do Dr. Serpa evidenciava energia e brandura simultâneas. Advogado jovem, mas experimentado em relações públicas, exibia maneiras estudadas, conquanto simpáticas. Autêntico representante do tope social, não se lhe notava o menor desalinho. Justo, porém, dizer que o moço causídico se trancava no imo do ser, esforçando-se por manter oculta a feição enigmática da própria alma. Não estava ali, na estampa física, tal qual se mostrava por dentro. Não era tão somente um homem natural, simplesmente um homem natural, em cujo caráter o verniz acadêmico não conseguia extinguir, de todo, os resíduos da animalidade, compreensíveis em todas as criaturas da Terra, ainda puramente naturais e humanas. Além disso, aos nossos olhos espirituais, patenteava sombrias inquietações.

Depois das primeiras palavras, quentes de ternura, abeirou-se da esposa e osculou-lhe os cabelos.

Ela não dissimulou a própria alegria e conversaram em suave transbordamento afetivo.

Evelina reafirmava com os lábios a certeza da recuperação próxima, enquanto ele dava notícias. Os sogros, em seu sítio no sul, esperavam boas-novas da operação e lhes viriam ao encontro, oportunamente. Com certeza, não chegariam de imediato, evitando alarme. Queriam dar à filha querida a convicção de que se achavam tranquilos quanto ao tratamento em curso.

E Caio desdobrava outros informes.

Ouvira amigos médicos. Realizara interessantes estudos acerca da intervenção na suprarrenal. Quanto ao caso dela, Evelina, o cirurgião estava otimista. Que lhes faltava agora, senão o êxito, com a bênção de Deus?

Regozijou-se a enferma, ao registrar a expressão "bênção de Deus". "Algo de novo estaria surgindo naquele estimado ateu de 30 anos?" — monologava no íntimo. Caio se lhe afigurava, ali, mais atencioso, diferente. Simples de coração, não percebia que ele disfarçava. Serpa emitia comunicações imaginárias. O médico da família, tanto quanto o cirurgião, nada garantiam além de uma operação exploratória, com reduzidas esperanças de êxito. O próprio cardiologista, devidamente consultado, quase que desaconselhava o tentame, e só não o fazia porque a moça avançava, a passos largos, para a morte. De que valeria obstar uma providência que talvez a salvasse? O marido conhecia as preocupações em pauta; contudo, fantasiava argumentos confortativos, mentia piedosamente, comentando os exames, complementados de avisos francos, sobre a gravidade da situação.

4.5   O advogado pernoitou no próprio hospital, na condição de acompanhante da enferma. Auxiliou a serviçal da noite, na administração de tranquilizantes precursores da anestesia. Dispensou à doente carinhos e cuidados, qual se ela fosse uma criança e ele o pai zeloso.

No dia imediato, porém, finda a cirurgia, foi convidado a entendimento com o médico operador e, pálido, colheu a sentença. Evelina, segundo os recursos da ciência humana, dispunha tão somente de alguns dias mais. Que ele, o marido, tomasse as medidas que julgasse convenientes, a fim de que não lhe faltasse o conforto possível.

O médico resumiu todas as suas impressões numa só frase:

— Ela parece uma rosa totalmente carcomida por agentes malignos.

Caio, embora o quisesse, nada mais ouviu das doutas observações expendidas sobre neoplasmas, focos secundários, metástases e tumores que reincidiam depois da ablação. Sentia-se petrificado. Lágrimas compridas perlaram-lhe a face.

Concluído o testemunho de solidariedade e ternura humanas com que foi amparado pelo cirurgião amigo, correu para junto da companheira prostrada. E durante dias e noites de paciência e ansiedade, foi para ela o irmão e o pai, o tutor e o amigo.

4.6 Satisfazendo-lhe os apelos, os sogros vieram consolar a filha nos dias últimos. Dona Brígida, a genitora, e o Sr. Amâncio Terra, o padrasto, proprietários de sítio próspero, no sul paulista, compareceram desolados, buscando, no entanto, selecionar palavras de otimismo e sustando o choro.

Embalada na rede do devotamento familiar, Evelina, aparentemente melhorada, voltou ao mundo doméstico, recolhendo mimos que, desde muito tempo, não recebia, concomitantemente com as crises periódicas de sufocação, que a deixavam inerme.

Apesar da posição melindrosa, acreditava nas opiniões lisonjeiras dos familiares e dos amigos.

Aquilo passaria. Ninguém se forra[6] às sequelas de uma operação, qual a que sofrera. Que ela confiasse, orasse com fé.

Após duas semanas de calmaria e repiquetes, surgiram seis dias de contínuo bem-estar.

Não obstante extremamente magra e abatida, transferiu-se do leito para a espreguiçadeira, alimentava-se quase que normalmente, conversava tranquila, obtinha o conforto da Religião pela cortesia de um sacerdote abnegado e, à noite, pedia ao padrasto alguns minutos de leitura alegre e amena.

Ao entardecer do quinto dia de esperança, formulou uma solicitação inesperada.

Não poderia Serpa levá-la ao passeio predileto dos tempos de noivado?

— Morumbi à noite? — indagou a mãezinha, intrigada.

Evelina justificou-se. Queria ver a cidade faiscante de luzes ao longe; os olhos tinham saudade do céu estrelado.

Caio telefonou ao médico e o médico acedeu.

Mais algum tempo, aflito por satisfazê-la, o marido arrancou o carro à garagem, para, logo após, tomá-la de encontro ao

---
6 N.E.: Forrar — poupar; libertar etc.

peito, qual se carregasse leve menina. Acomodou-a ao lado dele, prescindiu da companhia dos sogros, e partiram.

4.7   A enferma seguia, encantada. Reviu as ruas repletas e, depois, a paisagem do Morumbi e arredores, no que ela possuía de mais natureza.

Ao vê-la falar entusiasmada, o esposo enterneceu-se. Como que a reencontrava na moldura de noiva querida, da noiva a quem amara desvairadamente, anos antes. Experimentou remorsos, recordando a infidelidade conjugal em que se mantinha. Quis suplicar-lhe perdão, confessar-se, mas reconheceu que aquele não era o momento adequado.

Freou o carro, contemplou-a. Evelina parecia sutilizar-se, os olhos brilhavam aos toques do luar, movia-se a cabeça como que nimbada de luz...

Caio tomou-a nos braços robustos, com a ansiedade de quem se propunha apoderar-se de um tesouro e defendê-lo... Num transporte irresistível de carinho, beijou-a e beijou-a, até que lhe sentiu o rosto frio molhado de lágrimas ardentes...

Evelina chorava de ventura.

Ao sentir-se liberta daqueles braços que adorava, deitou a cabeça ligeiramente para fora e deteve-se na visão do firmamento que se lhe figurava agora um campo gigantesco, ostentando flores de fogo e prata...

Buscou a destra do companheiro, apertou-a demoradamente e indagou:

— Caio, você acredita que nos encontraremos, depois da morte?

Ele desconversou, ligou o motor, exortou-a a trocar de assunto, proibiu-a, em tom afetuoso, de reportar-se ao que nomeou como *coisas tristes*, e regressaram.

Caminho afora, a enferma lembrou-se do entendimento fácil com Ernesto Fantini, o improvisado amigo do balneário.

Inexplicavelmente para ela mesma, tinha saudades daquela presença que lhe fora suave e grata. Sentia sede de permuta espiritual. Aspirava a falar nos segredos da vida eterna e ouvir alguém, no mesmo tema e no mesmo diapasão. Naquele instante, porém, o esposo se lhe destacava na imaginação por estranho violino que não se lhe adaptava agora às fibras do arco. As emoções sublimes lhe esmoreciam no peito, à míngua de crescimento e repercussão. Preferiu, desse modo, escutar o marido, abençoá-lo, aprová-lo.

4.8 Mais um dia sereno e, em seguida, Evelina amanheceu em crise. De angústia em angústia, com anestésicos de permeio, a jovem senhora Serpa atingiu a derradeira noite no mundo.

Ante a mágoa profunda do esposo e dos pais, que tudo fizeram para retê-la, Evelina, fatigada, cerrou os olhos do corpo físico, na suprema libertação, justamente quando as estrelas desmaiavam na antemanhã, sobrerrondando alvorada nova.

5
Reencontro

5.1   Evelina despertou num quarto espaçoso, com duas janelas que deixavam ver o céu.

Emergia de um sono profundo, pensou.

Diligenciou recordar-se, assentando contas da própria situação.

Como teria entrado na amnésia de que estava tornando agora à tona da consciência?

Desemperrou a custo os mecanismos da memória e passou a lembrar-se, vagarosamente... A princípio, indescritível pesadelo lhe conturbara o repouso começante. Sofrera, decerto, uma síncope inexplicável. Percebera-se movendo num mundo exótico de imagens que a faziam regredir na estrada das próprias reminiscências. Recapitulara, não sabia como, todas as fases de sua curta vida. Voltara no tempo. Reconstituíra todos os dias já vividos, a ponto de rever o pai chegando morto ao lar, quando contava somente 2 anos de idade. Nesse filme que as energias ocultas da própria mente haviam exibido para ela, nos quadros mais íntimos do ser, ouvira, de novo, os gritos maternos e enxergava, à frente, os vizinhos espantados, sem compreender a tragédia que se lhe abatia sobre a casa...

Depois, registrara a impressão de tremendo choque. **5.2**

Algo como que se lhe desabotoara no cérebro e vira-se flutuar sobre o próprio corpo adormecido...

Logo após, o sono invencível.

De nada mais se apercebera.

Quantas horas gastara no torpor imprevisto? Estaria regressando a si, vencido o colapso, por efeito de algum tratamento de exceção? Por que não via, ali, junto do leito, algum familiar que lhe propiciasse as necessárias explicações?

Tentou sentar-se e o conseguiu, sem a menor dificuldade.

Inspecionou o ambiente, concluindo que seu pouso fora trocado. Inferiu das primeiras observações que, tombada em desmaio, fora reconduzida ao hospital e ocupava, agora, larga dependência, que o verde-claro tornava repousante.

Em mesa próxima, viu rosas que lhe chamavam a atenção para o perfume.

Cortinas tênues bailavam, de manso, aos ritmos do vento, que penetrava as venezianas diferentes, talhadas em substância semelhante ao cristal revestido de essência esmeraldina.

Em tudo, simplicidade e previsão, conforto e leveza.

Evelina bocejou, distendeu os braços e não se surpreendeu com qualquer dor.

Recuperara-se enfim, refletiu alegre.

Conhecia a presença da saúde e a testemunhava em si mesma. Nenhum sofrimento, nenhum estorvo.

Se algo experimentava de menos agradável, era precisamente um sinal de robustez orgânica: sentia fome.

Onde o marido? Onde os pais?

Desejava gritar de felicidade, comunicando-lhes que sarara. Aspirava a dizer-lhes que os sacrifícios efetuados por ela não haviam sido inúteis. No íntimo, agradecia a Deus a dádiva do próprio restabelecimento e ansiava estender a jubilosa gratidão aos seres queridos.

5.3 Não mais lograva sopitar o coração embriagado de regozijo e, por isso, buscou a campainha, rente a ela. Apertou o botão de chamada e uma senhora de semblante doce e atraente apareceu, saudando-a com palavras de irradiante carinho.

Evelina aceitou com naturalidade a cooperação da desconhecida.

— Enfermeira — falou para a recém-chegada —, posso rogar-lhe o favor de chamar meu marido?

— Tenho instruções para, antes de tudo, informar o médico sobre suas melhoras.

A senhora Serpa concordou, afirmando, no entanto, que sentia necessidade de reencontrar os familiares, de maneira a repartir com eles o próprio júbilo.

— Compreendo... — Redarguiu a serviçal, com inflexão de ternura.

— Tenho sede de entender-me com alguém — aditou a convalescente, animada. — Como se chama a senhora?

— Chame-me irmã Isa.

— Decerto, a senhora me conhece. Sou Evelina Serpa e devo ter aqui minha ficha...

— Sim.

— Irmã Isa, que me sucedeu? Estou bem, mas num estado estranho que não sei definir...

— A senhora passou por *longa cirurgia*, precisa descansar, refazer-se...

Para Evelina, em verdade, nada havia de surpreendente naquelas palavras articuladas em tom significativo. Sabia-se operada. Passara pela dolorosa ablação de um tumor. Estivera em casa, melhorara tanto que obtivera um passeio com o marido pelas estradas do Morumbi. Apesar de tudo, reconhecia-se novamente hospitalizada, sem poder ajuizar dos motivos.

Enquanto alinhava indagações mudas, não viu que a atendente pressionava um ponto cinza, em determinado recanto, comunicando-se com o médico de plantão. **5.4**

Em dois minutos, um homem de branco entrou, calmo.

Cumprimentou a doente, examinou-a, sorriu satisfeito.

— Doutor... — começou dizendo, ansiosa por justificar-se.

E pediu informes. Desejava saber como e quando conseguiria rever o esposo e os pais.

Não seria justo dar aos seus a notícia do êxito com que o hospital a brindava?

O facultativo ouviu-a, pacientemente, e rogou-lhe conformidade. Retomaria aos parentes, mas precisava reajustar-se.

Gesticulando carinhosamente, qual se sossegasse uma filha, aclarou:

— A senhora está melhor, muito melhor; entretanto, ainda sob rigorosa assistência de ordem mental. Ligando-se a quaisquer agentes suscetíveis de induzi-la a recordações muito ativas da moléstia que sofreu, é provável que todos os sintomas reapareçam. Pense nisso. Não lhe convém, por agora, recolocar-se entre os seus.

E, com um olhar ainda mais compreensivo, ajuntou:

— Coopere...

Evelina ouviu a observação, de olhos lacrimosos, mas resignou-se.

Afinal, concluiu intimamente, devia ser reconhecida aos que lhe haviam granjeado a bênção da nova situação. Não lhe cabia interferir em providências, cujo significado era incapaz de apreender. Adivinhando que o médico se dispunha a sair, solicitou com humildade se lhe seria permitido ler e, se essa concessão lhe fosse feita, rogaria que a casa lhe emprestasse algum volume em que pudesse colher ensinamentos de Cristo. Sensibilizado, o médico lembrou o Novo Testamento e, a breves instantes, a atendente trouxe o livro mencionado.

5.5   Restituída à solidão, Evelina começou a ler o Sermão da Montanha; todavia, a advertência clínica se lhe intrometia na imaginação, insistentemente. Se estava restaurada, qual se via, por que simples lembranças lhe imporiam retorno aos padecimentos de que se acusava liberta? Por quê? Percebia-se na posse de inenarrável euforia. Deliciosa sensação de leveza lhe mantinha a disposição para a alegria, como nunca sentira em toda a existência.

Tais recursos de equilíbrio orgânico seriam assim tão fáceis de perder?

Retirou a atenção do livro e engolfou-se em novas cogitações... E se reconstituísse em espírito a presença de Caio e dos pais, com veemência? E se concentrasse os próprios pensamentos nas dores que havia deixado à retaguarda?

Infelizmente para ela, confiou-se a semelhantes exercícios e, decorridos alguns minutos, a crise revelou-se, agigantando-se-lhe no corpo em momentos rápidos. Regelavam-se-lhe as extremidades, enquanto mantinha a ideia de que um braseiro a requeimava por dentro, com a dispneia afrontando-lhe o peito. Desencadeados os sintomas, quis reagir, contrapor conceitos de saúde aos de doença; entretanto, era tarde. O sofrimento ganhou-lhe as forças e passou a contorcer-se no suplício de que se admitira definitivamente distanciada...

Atônita, premiu a campainha e a prestimosa atendente se desdobrou na tarefa assistencial.

O médico reapareceu e administrou sedativos.

Ambos, nem ele nem a enfermeira, lhe endereçaram o mínimo reproche, mas a doente leu no olhar deles a convicção de que tudo haviam compreendido. Em silêncio, davam-lhe a saber que não lhe ignoravam a teimosia e que, com toda a certeza, não se acomodando aos avisos recebidos, quisera experimentar por si mesma o que vinha a ser um tipo de mentalização inconveniente.

Conquanto a bondade de que dava mostras, o médico agiu com energia. **5.6**

Forneceu instruções severas à companheira de serviço, depois da injeção calmante que ele próprio aplicou à senhora Serpa, em determinada região da cabeça, e recomendou medidas especiais para que ela dormisse. Aconselhável obrigá-la a repousar mais tempo, controlada por anestésicos. A doente não podia nem devia entregar-se a ideias fixas, sob pena de voltar a sofrer sem necessidade.

Evelina registrou as observações dele, em franca modorra. Depois, abismou-se em pesado sono, do qual despertou muitas horas após, consciente de que lhe competia cuidar-se, evitando novo pânico. Mostrou o desejo de alimentar-se e foi imediatamente atendida com caldo quente e reconfortante, que lhe calhou gostosamente ao paladar, à feição de néctar.

Refez-se, vigilante. Reconhecia-se sob uma espécie de assistência cuja eficácia e poder não lhe cabia agora subestimar.

Finda uma semana em descanso absoluto, com entretenimentos de leitura escolhida pelas autoridades que a cercavam, passou a caminhar no recinto do quarto.

Ao retomar a verticalidade, assinalava em si mesma inequívocas diferenças. Os pés se lhe patenteavam leves, qual se o corpo houvesse diminuído de peso, intensivamente, e, sobretudo, no cérebro, as ideias lhe nasciam em torrente, vigorosas e belas, quase a se lhe materializarem diante dos olhos.

Numa tarde em que se via mais amplamente estimulada a reaver os movimentos normais, abeirou-se da janela que dava para um pátio enorme e, do alto do terceiro andar que a hospedava, contemplou dezenas de pessoas que conversavam alegremente, muitas delas sentadas em torno de irisada fonte que se erigia em centro de florido e extenso jardim.

5.7   Aquela sociedade serena atraiu-a.

Tinha sede de convivência, atreita[7] que se achava a austeras disciplinas. À vista disso, consultou a enfermeira se lhe era concedido descer, travar conhecimento com alguém. Afinal, sugeriu com otimismo, uma casa de saúde não deixa de assemelhar-se a um navio, em cujo bojo as criaturas se interessam umas pelas outras, estendendo-se as mãos.

A serviçal achou graça e escorou-a nos braços, para a descida.

Poderia, sim, divertir-se ali. O ambiente lhe faria bem, ao mesmo tempo que lhe seria lícito granjear uma que outra amizade.

Deixada a sós, fitou ansiosamente os rostos que a rodeavam. Figurou-se-lhe estar no seio de vasta família de pessoas afins pelo coração, mas quase todas desconhecidas entre si, qual acontece num balneário.

Todos os circunstantes acusavam-se na posição de convalescentes, adivinhando-se-lhes, sem dificuldade, os vestígios das enfermidades de que haviam conseguido evadir-se.

Evelina interrogava-se quanto ao melhor processo de estabelecer contato com alguém, quando viu um homem, não longe, que a fitava, evidentemente assombrado. Oh! não era aquele cavalheiro, exatamente Ernesto Fantini, o improvisado amigo das termas? O coração bateu-lhe agitado e ela estendeu, na direção dele, os dois braços, dando-lhe a certeza de que o aguardava, de alma aberta.

Fantini, pois era ele mesmo, ergueu-se da poltrona em que se guardava e avançou para ela, a passos rápidos.

— Evelina!... Dona Evelina!... Estarei realmente vendo a senhora?

— Eu mesma! — respondeu a moça, chorando de alegria.

O recém-chegado não foi estranho à emotividade daquele minuto inesquecível. Lágrimas lhe rolaram no rosto simpático e

---

7 N.E.: Acostumada, habituada.

sisudo, lágrimas que ele buscava enxugar, embaraçado, procurando sorrir.

6
Entendimento fraternal

6.1 — Há quantos dias aqui?
— Positivamente, não sei — adiantou Ernesto, denotando fome de conversação.
E completou:
— Tenho matutado bastante naquele nosso entendimento de Poços de Caldas, acalentando sempre a esperança de revê-la...
— Gentileza de sua parte.
Evelina confidenciou a perplexidade em que vivia. Despertara naquela instituição de saúde que desconhecia de todo, obviamente transferida de casa por imposição da família, porquanto o único fato de que se recordava com clareza era justamente o desmaio em que descambara no topo de uma crise das piores que havia atravessado.
E salientou, sorrindo, que tivera a impressão de *morrer*...
Quanto tempo desacordada? Ignorava.
Retomara-se apenas quando viera a si do sono profundo e sem sonhos, ali mesmo, no quarto do terceiro andar.

Desde então, andava intrigada com o mistério que a administração fazia, a respeito dela própria, de vez que não obtivera permissão para telefonar ao marido.

Fantini escutava, atencioso, sem articular palavra.

Em derredor, algumas pessoas se mantinham sentadas ou caminhavam com naturalidade, lendo ou palestrando, aqui e ali.

Rosas, miosótis, jasmins, cravinas, begônias e outras flores, sob árvores recordando amendoeiras, fícus e magnólias, embalsamavam o ar, extremamente diáfano, com perfume delicioso.

Alongados os comentários que anotava, curioso, Fantini mostrou estranho brilho no olhar e concordou com Evelina.

Declarou achar-se em brasas. Revelou que também sofrera esquisita fuga de si mesmo, com a diferença de que isso lhe ocorrera, logo após a cirurgia, quando voltava para o leito, segundo acreditava. E registrara aquele mesmo fenômeno de retrospecção, a que se reportava a senhora Serpa em seus apontamentos confidenciais, no qual se vira repentinamente devolvido ao pretérito, desde os primeiros momentos de espanto até os dias primeiros da infância...

Depois, dormira pesadamente.

Incapaz de explicar-se quanto ao tempo exato em que se demorara obtuso, inconsciente, tomara acordo de si próprio naquele nosocômio,[8] dez dias antes.

Conservava, igualmente, a mesma estupefação, perante as normas de serviço ali regulamentadas, porque não conseguira o mínimo contato com a esposa ou a filha, das quais se despedira na cela hospitalar, horas antes do trabalho operatório a que se submetera.

Achava-se, por isso, inquieto.

Ela, Evelina, experimentara o enigmático desmaio, no círculo doméstico, ao pé dos entes queridos. Ele, porém, deixara a

---

8 N.E.: Hospital.

família em meio de agoniada expectativa, sem que lhe fosse facultado qualquer recurso de comunicação com os parentes. Reconhecia que o estabelecimento de saúde a que se abrigava agora não era o mesmo onde se internara para o tratamento. Chegava a duvidar de que estivesse realmente em São Paulo. O firmamento parecia--lhe um tanto diverso à noite, e a piscina de que se servira continha água tenuíssima, embora fosse compreensível tivesse aquela casa filtros e engenhos especiais para a medicação da água comum.

6.3 E Ernesto acabou o relatório, indagando:
— A senhora já foi às termas?
— Ainda não.
— Verificará minha surpresa quando for até lá.
— E admite que irei? — retorquiu Evelina com o ar brejeiro de quem se via um tanto mais consolada.
— Perfeitamente. Já ouvi dizer que a hidroterapia aqui é obrigatória.

Fantini sorriu significativamente e enunciou, carregando cada palavra de recôndita inquietação:
— Sabe da hipótese mais razoável? Desconfio de que nos achamos, com autorização de nossos familiares, numa organização psiquiátrica. Nada sei de Medicina; no entanto, estou supondo que os problemas da suprarrenal nos transtornaram a cabeça. Teremos talvez enlouquecido, entrando pelas raias da absoluta alienação mental e, com certeza, a segregação terá sido a providência aconselhável...
— Por que pensa assim? — Volveu a senhora Serpa, muito pálida.
— Dona Evelina...
— Não me chame "dona"... Insisto em que somos amigos e agora mais irmãos...
— Seja — aquiesceu Fantini.
E continuou:

— Evelina, você verá os aparelhos engraçados com que nos aplicam raios à cabeça, antes do banho medicinal. E creia que todos os doentes acusam melhoras gradativas. Desde anteontem, quando fui à imersão pela primeira vez, sinto-me mais lúcido e mais leve, sempre mais leve...

6.4

— Acaso não se vê em boa posição mental, desde que despertou?

— Não tanto. Aflito por notícias dos meus, voltei a sentir agudas crises. Bastava lembrar a mulher e a filha, concomitantemente com a intervenção cirúrgica, e via-me, quase que de imediato, sob asfixia terrível, a desfalecer de sofrimento.

Evelina rememorou a própria experiência, mas silenciou. Sentia-se cada vez mais inquieta.

— Pelo cuidado com que as autoridades me respondem às interpelações — estendeu-se Fantini —, entendo que se esforçam por manter-nos em harmonia e tranquilidade. Admito que teremos passado por algum trauma psíquico e que nos achamos presentemente na reconquista do próprio equilíbrio, o que vamos obtendo, muito a pouco e pouco. Segundo creio, fomos colocados sob terapêutica puramente mental. Ainda ontem, renovei a reclamação de sempre, solicitando comunicação com meu pessoal e sabe o que a enfermeira de plantão me respondeu, perfeitamente senhora de si?

— ?

— "Irmão Fantini, esteja tranquilo. Seus familiares estão informados de sua ausência." Mas não querem conversar comigo? Nem me chamam ao telefone? — indaguei. E a assistente respondeu: "Sua senhora e sua filha sabem que não podem aguardar tão cedo a sua presença em casa". Porque eu recalcitrasse, exigindo providências, a moça declarou: "Por enquanto, isso é tudo o que lhe posso dizer".

— Que deduz de suas próprias observações?

6.5 — Concluo, salvo melhor juízo, que estivemos, claramente sem o sabermos, na condição de alienados mentais — sugeriu Fantini, quase novamente bem-humorado —, e decerto emergimos, agora, com muito vagar das trevas psíquicas para o estado normal de consciência. Os médicos e enfermeiros que nos rodeiam estão plenamente justificados, quanto ao propósito de resguardar-nos contra quaisquer tipos de preocupação com a vida exterior. O menor vinco de aflição na tela mental de nossas impressões do momento, assim penso, nos traria talvez grande prejuízo às emoções e ideias, qual ocorre a pequena distorção que desfigura a simetria das ondas elétricas.
— É possível.
Expressiva pausa caiu entre os dois.
Após fundo mergulho no mundo de si mesmo, Ernesto rompeu o intervalo:
— Evelina, quando você entrou na crise terrível de que me fala, ter-se-á confessado antes? Que lhe teria dito o sacerdote? Recebeu dele quaisquer conselhos?
A interlocutora assustou-se perante a angústia com que semelhantes inquirições eram moduladas e contraindagou:
— Oh! Por quê? Por que, meu amigo? Confessei-me antes do desmaio, sempre que pude... Mas por que procura saber? Para chasquear?
Fantini, porém, não brincava. Os olhos dele entremostravam indisfarçável mal-estar.
— Não se amofine. Pergunto por perguntar — devaneou ele, tamborilando os dedos da mão esquerda sobre o tripé que se erguia à frente —; numa conjuntura perigosa, qual a que atravessamos, toda assistência é pouca... Lembrei-me de que você tem uma religião e de que ainda sou um homem sem fé...
Ernesto ainda não rematara de todo a última frase, quando uma jovem, num grupo de três que caminhavam a curta distância, se

rojou ao chão, como quem fora subitamente acometida por violento acesso de histeria, gritando em meio de manifesta agonia mental:

— Não!... Não posso mais!... Quero minha casa, quero os meus!... Minha mãe?!... Onde está minha mãe? Abram as portas!... Bandoleiros! Quem é bastante corajoso aqui para derrubar comigo estes muros? A polícia!... Chamem a polícia!...

6.6

Tratava-se, inquestionavelmente, de um caso de loucura, mas havia tanto sofrimento naquela voz que os circunstantes mais próximos se levantaram, espantadiços.

Uma senhora, irradiando paciência e bondade, exibindo na blusa as insígnias de enfermeira da casa, surgiu de chofre, abriu caminho no grupo de curiosos que começava a adensar-se e inclinou-se, abraçando, maternalmente, a menina revoltada. Sem o mínimo impulso à repreensão, soergueu-a, notificando com inexcedível brandura:

— Filha, quem lhe disse que não voltará a sua casa? Que não reverá sua mãe? Nossas portas jazem abertas... Venha comigo!...

— Ah! irmã — suspirou a jovem repentinamente asserenada por aquelas mãos fortes e boas que a enlaçavam —, perdoe-me!... Perdoe-me! Não tenho razão de queixa, mas estou com saudades de minha mãe, sinto falta de casa! Há quanto tempo estou aqui, sem qualquer dos meus? Sei que sou doente, recebendo o benefício da cura, mas por que não tenho notícias?!...

A assistente ouviu calma e apenas prometeu:

— Você as terá...

Passando-lhe, em seguida, o braço carinhoso acima dos ombros, concluiu:

— Por agora, vamos ao repouso!...

A menina, como quem surpreendera na benfeitora alguma recordação do calor materno de que sentia exacerbada carência, encostou a loura cabeça ao peito que lhe era ofertado e retirou-se, soluçando...

6.7 Evelina e Ernesto, que haviam acorrido para o auxílio possível, contemplaram o quadro, entre aflitos e magoados.

Em ambos, a sede de esclarecimento.

Que ilação recolher da súplica chorosa da doentinha atribulada pela ausência do ninho doméstico? Que hospital era aquele? Um pronto-socorro para alienados mentais? Um nosocômio destinado à recuperação de desmemoriados?

Num impulso de curiosidade que não mais pôde sopitar, abeirou-se Evelina de uma senhora simpática que acompanhara a cena, denotando aguda atenção, e cujos cabelos grisalhos lhe recordavam a cabeleira materna, e assuntou com discrição:

— Desculpe-me, senhora. Não nos conhecemos, mas a aflição em comum nos torna familiares uns aos outros. A senhora pode dar alguma informação acerca da pobre menina perturbada?

— Eu? Eu? — redarguiu a interpelada.

E advertiu:

— Minha filha, eu aqui, praticamente, não sei da vida de ninguém.

— Mas escute, por favor. Sabe onde estamos? Em que instituto?

A matrona achegou-se mais para perto de Evelina, que, a seu turno, recuou para junto de Fantini, e cochichou:

— A senhora não sabe?

Ante o assombro indisfarçável da senhora Serpa, dirigiu o olhar penetrante para Ernesto e aduziu:

— E o senhor?

— Nada sabemos — comunicou Fantini, cortês.

— Pois alguém já me disse que estamos todos mortos, que já não somos habitantes da Terra...

Fantini sacou o lenço do bolso para enxugar o suor que passou a escorrer-lhe abundantemente da testa, enquanto Evelina cambaleou, prestes a desfalecer.

A desconhecida estendeu os braços à companheira e recomendou, preocupada: **6.8**

— Minha filha, contenha-se. Temos aqui dura disciplina. Se mostrar qualquer sinal de fraqueza ou rebeldia, não sei quando voltará a este pátio...

— Repousemos — interveio Ernesto.

E, dando o braço a Evelina, ao passo que a dama prestimosa ajudava a escorá-la, rumaram os três para largo assento próximo, sob grande fícus, onde passaram a descansar.

7
Informações de Alzira

7.1 — Conversemos — convidou a nova amiga.

Receosa, ante os serviços de vigilância, manifestava a intenção de despistar. Dispunha-se a todo custo demonstrar naturalidade, temendo que alguém pudesse haver assinalado o choque da companheira.

Fantini compreendeu e esmerou-se a coadjuvá-la.

Pretendendo ignorar a lividez com que a senhora Serpa os ouvia, fez as apresentações com aparente serenidade.

— Sou Alzira Campos — identificou-se a matrona, recém-chegada ao grupo —, e moro em São Paulo.

Deu o endereço, reportou-se à família, caracterizou o bairro em que residia e adiantou:

— Desde que caí em casa, trouxeram-me desacordada para este hospital e, pelas contas que faço, há quase dois meses espero alta.

Estabeleceu-se o diálogo entre ela e Ernesto, enquanto Evelina se reasserenou, lentamente.

— A senhora já se sente restabelecida?   7.2
— Completamente.
— Já travou relações com alguma autoridade que lhe possa orientar com indicações precisas, quanto ao futuro?
— Sim. A irmã Letícia, que me assistiu, de início, nos banhos medicinais, avisou-me anteontem que não está longe o dia em que me será possível decidir, relativamente a permanecer aqui ou não...
— Que terá ela desejado dizer com esse *permanecer aqui ou não*?
— Realmente, sabendo-se quanto anseio voltar a casa, muito me encabulei ao receber-lhe esse apontamento.
— Nada mais indagou?
— Sim. Roguei mais claras instruções, pedi minudências. Ela, contudo, apenas me disse, gentil: "Você compreenderá melhor, mais tarde".
— Dona Alzira — sussurrou Ernesto, com firmeza —, a senhora não acredita que estamos numa organização de saúde mental, num asilo de loucos?
A matrona relanceou o olhar em derredor, à feição de doente amedrontada com a vigilância de guardas severos, e opinou:
— Se vamos examinar assuntos graves, não nos convém isolar a companheira. Nossa amiga Evelina pode acelerar o próprio refazimento. Peçamos para ela um tônico adequado.
Conjugando ação à palavra, premiu diminuto botão que se incrustava à mesa e surgiu um rapaz de serviço, diligenciando saber em que lhes poderia ser útil.
Alzira encomendou refresco para três.
— Qual o sabor?
— Maçã.
Num átimo, o portador trazia três taças com róseo líquido aromatizado em safirina bandeja.

7.3 — Este, a meu ver, é o melhor refrigerante que encontrei aqui, até agora, porque tem pretensões a sedativo — avisou a dama quando se viram, de novo, a sós.

Evelina sorveu um gole, avidamente, com a impressão de haver bebido um néctar, mais vaporoso que líquido.

O inesperado reconstituinte revigorava-lhe as forças, ao mesmo tempo em que lhe reacomodava os pensamentos.

— Estou melhor — notificou de súbito —, graças a Deus!...

Alzira sorriu e confirmou a disposição de palestrar, dando aos amigos todos os esclarecimentos que se lhe fizessem possíveis.

Fantini segredou:

— Voltando ao assunto, não considera a senhora que nos achamos sob assistência especializada, do ponto de vista da mente?

— A princípio — aclarou Alzira —, também pensei assim. Notem que nos sentimos aqui de pensamento mais leve e cabeça sempre mais clara por dentro. As ideias fluem com tanta ligeireza e espontaneidade que parecem tomar corpo, junto de nós. Concordo em que nos encontramos num tipo de vida espiritual diferente, muito diferente daquela em que vivíamos até a nossa vinda para cá. Apesar disso, porém, não creio estejamos nós num manicômio. Certamente já sabem que estamos rodeados por vida citadina muito intensa. Residências, escolas, instituições, templos, indústrias, veículos, entretenimentos públicos...

— Quê?... — disseram Evelina e Ernesto a um só tempo.

— É como lhes digo. Isto aqui é uma cidade relativamente grande. Nada menos de cem mil habitantes e, ao que dizem, com administração das melhores.

— A senhora já conseguiu alguma experiência lá fora? Já se afastou alguma vez destes muros? — interrogou Ernesto, a desfazer-se em curiosidade.

— Sim, na semana finda, obtive permissão para visitar uma família que não conhecia, acompanhando duas amigas. Até agora, essa foi a única vez em que me ausentei do hospital. E posso afirmar que a excursão foi realmente deliciosa, conquanto o pasmo de que me vi tomada, ao fim do passeio...

— Que viu e quem viu? — sondou Ernesto.

— Não se aflijam. Vocês conhecerão tudo a seu tempo. A cidade é linda. Uma espécie de vale de edifícios, como que talhados em jade, cristal e lápis-lazúli. Arquitetura original, praças encantadoras recamadas de jardins. Creiam vocês que caminhei, fascinada, de rua em rua. O irmão Nicomedes, pois assim se chama o dono da casa, acolheu-nos com muita gentileza. Apresentou-me a filha Corina, uma bela jovem, com quem para logo simpatizei. Íntima de uma das amigas que eu seguia e com a qual entraria em combinação sobre assuntos de serviço, salientou a alegria festiva do lar, falando-nos de esperados júbilos domésticos. Mostrou-nos os lustres novos, as telas e os vasos soberbos... Tudo seguia num crescendo de doces surpresas para mim, quando surgiu a bomba... Achávamo-nos no terraço, admirando um canteiro de jasmins suspensos, quando ouvimos o "Sonho de amor", de Liszt,[9] tocado ao piano. Corina informou-nos de que o pai dedilhava o instrumento com grande mestria. Enterneci-me de tal modo que manifestei o desejo de ouvi-lo mais de perto. A nossa anfitriã conduziu-nos, de imediato, à sala de música. E foi um deslumbramento. O irmão Nicomedes, absorto, revelava-se num mundo de alegrias profundas, que se lhe irradiavam da vida interior, em forma de melodias, das notáveis melodias que se sucediam umas às outras. Em dado momento, apontei: "Ele parece mergulhado num longo êxtase, toca como quem ora", ao que a filha respondeu: "Estamos efetivamente muito felizes; minha mãe, ao que sabemos, deverá chegar nesta semana". "Ela está de viagem?", perguntei. Com a maior naturalidade, a moça esclareceu: "Minha mãe virá da Terra". Quando ouvi isso, experimentei horrível choque, como se acabasse de receber

---

9 N.E.: Franz Liszt (1811–1886), compositor e pianista húngaro.

uma punhalada no peito. Faltou-me o ar; entrei, desprevenida, numa terrível crise de angústia... A simples ideia de que nos situávamos em lugar fora do mundo que sempre conheci me fazia voltar às dores anginosas que, desde muito tempo, não registrava. Corina me entendeu sem palavras e trouxe um calmante. Meu estado de perturbação, ao que observei, se comunicou a todo o ambiente, porque o dono da casa interrompeu-se, de improviso, quando executava um belo noturno... Via-me prestes a desmaiar. O pequeno grupo congregou atenções junto de mim e fui levada para o ar livre. Sentaram-me numa poltrona de pedra, semelhante ao mármore. Tateei com força o respaldar da curiosa cadeira e, ao verificar a dureza do material sob minhas mãos, comecei a tranquilizar-me... Em seguida, olhei para o céu e vi a lua cheia, fulgindo com tanta beleza que me asserenei de todo. Percebi a sem-razão do meu susto. E refleti, de mim para comigo: "Por que não existirá uma cidade, uma vila, um lugarejo qualquer de nome *Terra*?" O quadro que me cercava era positivamente um recanto do mundo... Indiscutivelmente, a esposa de Nicomedes estaria sendo esperada de alguma aldeia anônima... Ruminava minhas conclusões, quando o chefe do lar indagou compadecido: "Há quanto tempo nossa irmã Alzira está conosco?" "Pouco mais de dois meses", participou uma de minhas guardiãs. Nada mais se comentou a meu respeito. A visita foi encerrada. De retorno ao hospital, as irmãs a quem seguira, por sinal duas excelentes enfermeiras, não fizeram a mínima referência ao meu sobressalto...

7.5   — Não tem trocado ideias com mais ninguém? — objetou Fantini, interessado.

— Apenas durante os banhos, ouço uma que outra companheira. Em cada uma, encontro a dúvida, pairando... A maioria supõe que nos vemos defrontados por outra vida...

— Nenhuma delas tem certeza? — interveio a senhora Serpa.

— Unicamente a senhora Tamburini se mostra plenamente convencida de que não mais nos situamos no domicílio terrestre. Contou-me que vem frequentando um gabinete de estudos magnéticos, aqui mesmo em nossa organização hospitalar, e sujeitou-se a testes que lhe deram a confirmação de que não está de posse do corpo físico. Escutei-a com atenção e ela acabou convidando-me para algumas experiências, mas agradeci a gentileza, sem aceitá-la. *Essas histórias de clarividências e reencarnações não se afinam com a minha fé católica.*

— Ah! a senhora é católica? — interrompeu-a Evelina.

7.6

— Oh! sim...

— E, já que respiramos no clima de grande cidade, não temos aqui sacerdotes?

— Sim, temos.

— Já se entendeu com algum deles?

— Estou convidada para visitar uma igreja e farei isso, logo obtenha permissão. Devo, porém, dizer-lhe que, segundo informações de boa fonte, os padres são muito diferentes nestas paragens...

— Em que sentido?

— Dizem que são sacerdotes médicos, professores, cientistas e operários e não se restringem aos serviços da fé. Prestam socorro espiritual, eficiente e positivo, em nome de Jesus.

Fantini observou que o pátio esvaziava.

Todos os doentes se recolhiam.

Alzira, a nova amiga, apalavrou novo encontro para depois e cumprimentava às despedidas. Logo após, Ernesto e Evelina regressaram aos aposentos, na expectativa de se reverem no dia seguinte.

8
Encontro de cultura

8.1   Ernesto Fantini e a senhora Serpa usufruíam horas e horas de confortadora intimidade no pátio, mantendo interessantes conversações.

Mais de quinze dias haviam transcorrido sobre o primeiro reencontro. Evelina, tanto quanto o amigo, já se familiarizara com os banhos terapêuticos e ambos já haviam entrado em contato com a senhora Tamburini, que Alzira indicava como a pessoa mais culta de suas relações. Essa prestimosa criatura lhes hipotecara a promessa de conduzi-los, tão logo possível, ao Instituto de Ciências do Espírito, que funcionava ali mesmo, num dos recantos do grande jardim.

Sem qualquer dúvida, para os dois, as considerações da senhora Tamburini eram, até então, as mais esclarecedoras que tinham ouvido. No *tête-à-tête* quase diário, solicitava-lhes maior reflexão sobre a matéria, a escalonar-se em diversos graus de condensação, e mais amplo exame das percepções da mente, a se alterarem, conforme os princípios de relatividade; noutros lances dos repetidos entendimentos, rogava-lhes estudar neles próprios a extrema leveza de que se viam possuídos, a agilidade do corpo sutil que envergavam agora e a maneira singular em que exprimiam o pensamento, como se as ideias se lhes esguichassem do cérebro, em forma de imagens, acima das suas possibilidades habituais de contensão. Que se detivessem também a perquirir naquele novo clima de vida as ocorrências telepáticas, a se erigirem, ali, em fenômeno corriqueiro, apesar de não prescindirem da linguagem articulada. Bastava maior grau de afinidade, entre as pessoas, para que se entendessem harmoniosamente, em derredor dos assuntos mais complexos, com o mínimo de palavras.

Acolhiam satisfeitos as judiciosas apreciações da senhora Tamburini, que aceitava plenamente a convicção de serem criaturas desencarnadas em algum departamento do mundo espiritual; entretanto, não obstante o respeito que lhes mereciam, não logravam admiti-las por verdade incontestes.

8.2

Evelina, sentada no chão relvoso, ao pé de Fantini que se acomodava num pequeno escabelo, iniciou o diálogo, avaliando, cismarenta:

— De fato, a cada dia me sinto mais leve, sempre mais leve. E, com isso, vou perdendo o controle de mim mesma. Noto que os meus sentimentos sobem do coração para o cérebro, à maneira das águas de um manancial profundo ao jorro da fonte... Na cabeça, observo que as emoções se transfiguram em pensamentos que me escorrem imediatamente para os lábios em forma de palavras, a partirem de mim, quais as correntes líquidas que se estendem, para além do nascedouro, terra adiante...

— Bem lembrado. Você definiu com precisão meu próprio estado de espírito.

— Mas escute, Ernesto — advertiu a moça, tocando a base de árvore robusta —, que vê aqui?

— Um tronco.

8.3   — E ali, no canteiro mais próximo?
— Cravos.
— Seria este o mundo espiritual se a matéria e a Natureza estão presentes em tudo, segundo as conhecemos?
— Concordo em que para nós dois, que não possuímos estudos claros, com referência às nossas atuais condições, tudo isto aqui é absurdo, alucinante, mas...
— Mas?!...
— Sim, nada podemos afiançar de afogadilho.
— Você está influenciado pelas ideias da Tamburini?
— Não tanto. Faço minhas próprias ilações.
— Ouça, Ernesto. Se estamos mortos para os entes que amamos, por que não nos vieram ainda buscar os seres queridos de nossas famílias, aqueles que nos precederam na vida nova? Nossos avós, por exemplo, e os amigos íntimos que todos vimos morrer!...
— E quem disse a você que eles já não terão vindo?
— Como justificar esta alegação?
— Recorde, Evelina, as lições elementares de casa. Um televisor capta imagens que não vemos e no-las transmite com absoluta lealdade. Um rádio mirim assinala mensagens que não escutamos e no-las entrega com a maior clareza. É muito provável estejamos sendo vistos e ouvidos, sem que tenhamos, até agora, despertado a faculdade precisa de escutar e enxergar neste plano.
— Ernesto, e as orações? Se somos Espíritos libertos do chamado corpo carnal, alguém no mundo ter-se-á lembrado de nós em prece... Sua senhora, sua filha, meus pais, meu esposo...
— Não conhecemos o mecanismo das relações espirituais, nem temos qualquer estudo de ciências da alma. Quem afirmará que não estaremos sendo sustentados pela força das orações daqueles que amamos ou daqueles outros... que ainda nos amem...
— Que quer dizer?

— Que contas já nos foram apresentadas neste hospital? **8.4** A que e a quem devemos os cuidados e gentilezas que nos são dispensados, diariamente? Não compramos as nossas roupas novas nem as utilidades que usufruímos... Você, tanto quanto eu, já endereçou a alguma enfermeira aquela conhecida pergunta: "Quem paga"?

— Já indaguei...

— Qual foi a resposta?

— "Aqueles que vos amam."

— Quem são esses, no seu modo de ver?

— Em meu caso, meu esposo e meus pais...

— Tenho minhas dúvidas. De início, supus estivéssemos em recuperação num instituto de saúde mental; entretanto, cada dia que passa nos surpreende em nível mais alto de consciência, no que diz respeito aos nossos raciocínios. Se nos demorássemos num hospício, depois de algum colapso nervoso, a nossa restauração não se faria assim tão rápida...

Quebrou-se, porém, o fio da interessante conversação.

A senhora Tamburini abordou-os, à pressa, a fim de avisar que o encontro de cultura espiritual estava marcado para a noite que se avizinhava e urgia se aprestassem.

Munidos do necessário consentimento, ei-los que se dirigem para a organização, às sete da noite, junto da amiga, que os recomenda à estima do mentor em serviço, o irmão Cláudio.

Acolhidos com simpatia no recinto, onde se instalavam 23 pessoas, notaram a presença de enorme globo que, decerto, se prestaria como ponto de partida para valioso aprendizado.

O orientador principiou a reunião, notificando que a turma estaria em aula dialogada e que não era, ali, senão um companheiro dos demais, com erros, hipóteses, aproximações e acertos, em tudo aquilo que viesse a dizer.

— Qual é o tema, professor? — sindicou senhora distinta.

8.5 — "Da existência na Terra".

Em seguida ao esclarecimento, o diretor do grupo teceu preciosos comentários, acerca das funções do orbe terrestre na economia cósmica, e prosseguiu:

— Reflitamos, meus amigos. Quem de nós, na atualidade de nossos conhecimentos incompletos, conseguirá deitar sabedoria, no campo da inteligência, tão só pelo testemunho das impressões pessoais? Não ignoramos que a Terra é um gigantesco engenho no Espaço, transportando consigo quase três bilhões de pessoas físicas,[10] conduzindo-as pelas vias do Universo, sem que saibamos, ainda, ao certo, em que base de força se dependura, informando-nos unicamente de que semelhante colosso realiza, ao redor do Sol, uma órbita elíptica com a velocidade média de 108.000 quilômetros por hora; enquanto certas regiões do planeta se encontram aprumadas perante o zênite,[11] em outras, as criaturas se acham de cabeça para baixo, diante do nadir,[12] sem que ninguém dê por isso; até ontem, qualquer pessoa asseverava que a matéria densa de uma paisagem se constituía de elementos sólidos em repouso; hoje, porém, qualquer jovem estudante sabe que essas impressões são imaginárias, uma vez que a matéria, em toda parte, se dissolve num misto de elétrons, prótons, nêutrons e dêuterons, encerrando-se em energia e luz; qualquer homem reside num corpo do qual se faz inquilino, respira e atende aos impositivos da nutrição, sem maior esforço de sua parte. De que maneira dogmatizar afirmativas sobre causas, processos, acrisolamento e finalidade de nossa existência terrestre pelos acanhados recursos dos sentidos comuns?

Estabelecendo-se comprida pausa, aventou um cavalheiro:

---

10 N.E.: A primeira edição desta obra foi publicada em 1968. Atualmente já são 7 bilhões de habitantes.

11 N.E.: Ponto de esfera celeste que se situa na vertical do observador, sobre a sua cabeça.

12 N.E.: Ponto de esfera celeste que se situa na vertical do observador, diretamente sob seus pés.

— Professor, com estas deduções, o senhor quer dizer... 8.6

— Que a vida na Terra deve ser interpretada como um trabalho especial para o Espírito. Cada qual nasce para determinada tarefa, com possibilidades de evolver para outras, sempre mais importantes, e que, por isso mesmo, não será possível arrebatar às criaturas os princípios religiosos de que dispõem, sem prejuízos calamitosos para elas próprias. A Ciência avançará, desvendando segredos do Universo, resolvendo problemas e suscitando desafios novos à sua capacidade de investigação; no entanto, a fé sustentará o homem nas realizações e provas que é chamado a atravessar. O Espírito renasce no mundo físico, tantas vezes quantas se façam necessárias para utilizar-se, aperfeiçoar-se e, à medida que se aprimora, vai percebendo que a existência carnal é um ofício ou missão a desempenhar, de que dará ele a conta certa ao término da empreitada.

O explicador revelava tamanha altura cultural, na exposição em andamento, que raros apartes se fizeram ouvir.

Sem desviar, por isso, a espinha dorsal da preleção que pretendia, indubitavelmente, preparar os ouvintes para a aceitação pacífica do novo estado espiritual a que se haviam transferido, comentou:

— Se as Leis do Senhor se manifestam claras e magnânimas, em todos os departamentos da experiência física, estaríamos, acaso, desprezados por Deus, quando ultrapassamos as fronteiras da morte? Referimo-nos, aterrados, ao aniquilamento das vidas humanas, quando as guerras varrem a face do planeta; entretanto, que concluir acerca dessas mesmas vidas humanas, a se extinguirem, metodicamente, nas épocas de paz? Conservar-se-ia o Senhor indiferente aos nossos destinos, em algum lugar do Universo? Ele, que inspira a graduação do alimento para a criança e para o adulto, relegaria ao abandono a criatura desencarnada, quando a criatura vestida de agentes físicos vive e age numa esfera de ação, na qual os fatores de previsão e proteção oferecem, todos os dias, os mais belos espetáculos de grandeza?

8.7   Ninguém, ali, penetrava, a fundo, o caráter sibilino daquelas alegações. Os circunstantes, pelo menos em maioria, não se apercebiam de que estavam sendo adestrados, delicadamente, a fim de admitirem a realidade espiritual, sem barulho.

Surgindo mais ampla cota de silêncio, em virtude de achar-se o professor interessado em averiguar posições geográficas, no globo à vista, Evelina cobrou ânimo e perguntou:

— Irmão Cláudio, todas as pessoas registrarão sensações iguais entre si, depois da morte?

— Não. Cada qual de nós é um mundo por si e, em razão disso, cada individualidade, após largar o carro físico, encontrará emoções, lugares, pessoas, afinidades e oportunidades, conforme desempenhou o ofício, ou melhor, os deveres que lhe competiam durante a existência, na Terra. Ninguém pode conhecer o que não estuda, nem reter qualidades que não adquiriu.

Cláudio entreteceu, ainda, apontamentos ricos de beleza e de lógica e, ao término da brilhante tertúlia, Ernesto e Evelina estavam reconfortados e felizes, ao modo de viajantes, sedentos de valores da alma, depois de se abeberarem numa fonte de luz.

9
Irmão Cláudio

9.1   Finda a aula, recomendados pela senhora Tamburini, que não pudera acompanhar a reunião, Fantini e senhora Serpa se demoraram em companhia do irmão Cláudio, que os recebeu carinhosamente na intimidade.

Não residia ali, explicou.

O Instituto desdobrava serviços em todo o prédio, ocupando-lhe as dependências. Ainda assim, que os amigos se sentissem convidados para alguns dedos de prosa, em casa, onde, junto da esposa, teria prazer em recebê-los. Já que a senhora Tamburini o indicara, como um explicador capaz de prestar-lhes informes, a respeito de problemas que reputavam importantes, punha-se-lhes à disposição para atender no que lhe fosse possível, conquanto se reconhecesse inabilitado a satisfazer como desejaria.

Tudo isso era dito, cortesmente, em recinto enluarado, no jardim da instituição, onde pequenos grupos de estudantes se espalhavam, aqui e além.

Ladeando mesa fixa, conversava o trio, animadamente. Tão **9.2** grande e tão manifesta a familiaridade em pauta, que nada faria supor estivesse integrando um quadro que não fosse essencialmente terrestre. Em razão disso, não obstante a fisionomia cismativa de Ernesto, exprimindo incerteza e ansiedade, via-se Evelina senhora de si, absolutamente convencida de que se achava num recanto autêntico do mundo que sempre lhe fora habitual.

— Compreendo que se proponham a saber algo da nova residência — expôs irmão Cláudio, imperturbável —, porquanto a irmã Celusa Tamburini notificou que estão ambos despertos no hospital, de alguns dias para cá.

— Sim, é bem isso — confirmou Ernesto —, e somos gratos pela atenção que nos dispensa.

— Professor — interveio a senhora Serpa, confiante —, são tantos os comentários absurdos que já ouvimos, em nossos poucos dias de contato com o novo meio, que, de minha parte, estimaria estar informada se dispomos da liberdade de perguntar ao senhor tudo, tudo o que nos causa espécie...

— Oh! claramente. Indaguem tudo, embora não me veja capaz de a tudo responder.

Convocado a exprimir-se pelo olhar percuciente do amigo, volveu Ernesto à palavra:

— Evelina, quanto me ocorre, tem o espírito dominado por uma questão capital. Isso lhe parecerá, talvez, uma criancice de doentes mentais, que, às vezes, temos ambos a impressão de ser, mas temos escutado, em circunstâncias diversas, a afirmativa de que somos mortos em recuperação num ambiente que não mais pertence aos homens de carne e osso... A princípio, rimo-nos francamente, categorizando isso à conta de grossa tolice; entretanto, as opiniões se avolumam. A própria senhora Tamburini está certa de que já cruzamos as fronteiras da morte, como quem vara uma noite de sono... Que nos diz sobre isso, professor?

9.3 Irmão Cláudio esboçou significativa expressão facial, em que a admiração se misturava à piedade e obtemperou, sem cerimônia:

— Estarão vocês em condições de acreditar em minha palavra, se lhes ratificar a notícia de que respiramos em plena esfera espiritual?

— Mas, professor... — clamou Evelina, lívida.

— Entendo — certificou ele, sorrindo —, a senhora, muito mais que o nosso irmão Ernesto, opõe firme recusa mental à verdade, à vista de suas convicções religiosas, louváveis mas provisórias, convicções que jazem solidamente estruturadas em seu espírito... Apesar de tudo, porém, tenho a obrigação de assegurar-lhes que não mais pisamos a Terra que nos era comum e sim um departamento da vida espiritual.

E ela:

— Meu Deus, como pode ser isso?

— Irmã Evelina, trabalhe com a própria mente. Se não abordássemos a crosta planetária pelo regaço materno, com o período da infância, logo após, constrangendo-nos a longos serviços de readaptação, não seria a mesma coisa?

— Mas a Terra... eu conheço.

— Puro engano. Classificamos a paisagem terrestre e os pertences que lhe dizem respeito, submetidos aos conceitos de quantos estiveram nela antes de nós, ocorrendo análogas circunstâncias no ambiente a que nos acolhemos agora, e onde contamos com geólogos e geógrafos eméritos... Na realidade, porém, tanto lá quanto aqui, conhecemos, na essência, muito pouco acerca do meio em que vivemos. Em suma, analisamos e reanalisamos coisas e princípios que já encontramos feitos...

— Entretanto, no mundo, como entendemos o mundo, guardamos a certeza de permanecer sobre bases de matéria sólida...

— Irmã Evelina, quem lhe disse que não moramos lá, na arena terrestre, detidos igualmente num certo grau da escala de impressão do nosso Espírito Eterno? Qualquer aprendiz de ciência elementar, no planeta, não desconhece que a chamada matéria densa não é senão a energia radiante condensada. Em última análise, chegaremos a saber que a matéria é *luz coagulada*, substância divina, que nos sugere a onipresença de Deus.

— O senhor quer *afirmar mesmo* que não estamos agora domiciliados no plano físico? — voltou Fantini a manifestar-se.

9.4

— Chame-se a este mundo em que existimos, neste momento, "outra vida", "outro lado", "região extrafísica" ou "esfera do Espírito"; estamos num centro de atividade tão material quanto aquele em que se movimentam os homens, nossos irmãos ainda encarnados, condicionados ao tipo de impressões que ainda lhes governam, quase que de todo, os recursos sensoriais. O mundo terrestre é aquilo que o pensamento do homem faz dele. Aqui, é a mesma coisa. A matéria se resume a energia. Cá e lá, o que se vê é a projeção temporária de nossas criações mentais...

— Então, *morrer?!...* Qual a novidade acerca disso? Qual o maior interesse em nos reconhecermos redivivos?

— As incógnitas da vida exterior, com os desafios delas resultantes, são as mesmas; entretanto, se a criatura aspira efetivamente a realizar uma tomada de contas encontra neste novo mundo surpresas, muito fascinantes, no estudo e redescoberta de si mesma. Somos, cada um de nós, um astro de inteligência a perquirir... e a aperfeiçoar por nós próprios.

Ernesto sustentou o interrogatório:

— Todos os mortos estarão em todos os lugares da Terra, em condições idênticas às nossas?

— Impossível. Revejamos, superficialmente, a Humanidade encarnada em si e perceberemos algo do assunto. Contamos na Terra, de onde somos egressos, milhões de pessoas sensatas e espiritualmente desequilibradas, sadias e enfermas, instruídas e ignorantes, relativamente sublimadas e outras tantas ainda excessivamente animalizadas, confiantes e descrentes, amadurecidas na evolução ou iniciantes nela. Impraticável categorizá-las, depois da morte, segundo um critério exclusivo. Cada qual estará em seu grupo e cada grupo em sua comunidade ou faixa de afinidades. Nada fácil padronizar as situações dos Espíritos desencarnados. Basta recordar que 150.000 pessoas, aproximadamente, por dia, saem da circulação do ambiente físico, na média flutuante de cem por minuto, largando afetos, realizações, compromissos, problemas... Ora, todos são filhos de Deus e recebem de Deus atenções e providências, análogas do ponto de vista do amor com que somos envolvidos na Criação, embora diversas nos modos múltiplos em que se exprimem. Razoável reconhecer que por muito se enfeitem, externamente, com as honras que lhes são prestadas pelos entes queridos, quando se despedem do mundo, os homens, quaisquer que sejam, chegam aqui como são... Porque hajam desencarnado, o louco não adquire o juízo, de um dia para outro, nem o ignorante obtém a sabedoria por osmose. Depois da morte, somos o que fizemos de nós, na realidade interna, e colocamo-nos em lugar compatível com as possibilidades de recuperação ou com as oportunidades de serviço que venhamos a demonstrar.

9.5 — Estamos diante de trabalho imenso... — observou Fantini, espantado.

— Sim; no mundo dos homens, uma criatura não se modifica, de improviso, por haver atravessado o oceano, de um continente para outro... Acontece o mesmo, nos domínios do espírito.

— Há tempos — sublinhou Ernesto — li mensagens de entidades desencarnadas, merecedoras de crédito, relacionando os sofrimentos e conflitos que experimentaram em regiões inferiores, individualidades, aliás, que me pareceram senhorear largo patrimônio de recursos intelectuais.

— Nada de admirar. Por imposição de nossas necessidades, nós mesmos estamos residindo em zona dessas, na vizinhança das criaturas encarnadas.   **9.6**

— Refiro-me às regiões tenebrosas ou infelizes, relativamente às quais ouvi tantas dissertações e onde se desarvoram tantos irmãos nossos...

— Fantini, precisamos certificar-nos — clareou o mentor — de que esses lugares não são infelizes, de vez que infortunados são os irmãos que os povoam... Os jardins e pomares que enriqueçam um manicômio deixarão de ser jardins e pomares porque existam enfermos a desfrutar-lhes as emanações nutrientes?

— ?...

— Pois é, meu caro, as áreas do Espaço, às vezes enormes, ocupadas por legiões de criaturas padecentes ou desequilibradas, estão circunscritas e policiadas, por maiores que sejam, funcionando à maneira dos sítios terrestres, utilizados por grandes instituições para a recuperação dos enfermos da mente. Você não ignora que existem doentes da alma, consumindo larga faixa da existência nos hospícios acolhedores da Terra. Isso acontece aqui também. Ladeando o nosso vilarejo, temos vasto território, empregado no asilo a irmãos desajustados, aos milhares, mantidos e vigiados por muitas organizações de beneficência, que trabalham no socorro fraternal.

Evelina, que não acreditava no que ouvia, objurgou, insatisfeita:

— Mas... se nos achamos num Plano Espiritual, que dizer das construções sólidas, vinculadas à arquitetura terrestre, com que somos defrontados?

— Nenhum espanto, quando ponderarmos que os edifícios no mundo dos homens nascem do pensamento que os esculpe e da matéria que obedece aos projetos elaborados. Aqui verificamos o mesmo processo, diferindo apenas as condições da matéria, que se evidencia mais intensivamente maleável à influência da ideia dominante. Reflitamos no progresso da indústria de plásticos, na atualidade do plano físico de onde viemos e perceberemos, com mais segurança, as possibilidades imensas para as edificações delicadas e complexas em nosso domicílio de agora. Naturalmente, também aqui estamos subordinados ainda às técnicas, às vocações, às competências pessoais e às criações estilísticas, no círculo das conquistas espirituais de cada um. O arquiteto que planeia uma casa e o obreiro que lhe cumpre as ordens não servirão, de imediato, em lugar do diretor da manufatura de tecidos e do operário que lhe atende as determinações. Ainda aqui, o escritor não faz a obra do músico, em ação de improviso. Somos criaturas em evolução, sem havermos atingido ainda a posição dos gênios polimorfos, apesar de esses gênios existirem igualmente aqui.

9.7 A senhora Serpa não conseguia ocultar a incredulidade.

— Tudo parece inverossímil — asseverou.

— Nada se nos afigura mais inverossímil que a verdade — objetou irmão Cláudio —; no entanto, porque prefiramos, por muito tempo, a ilusão em lugar dela, a realidade não deixa de ser o que é.

O professor discorreu, ainda, por dilatados minutos, referentemente à vida e às condições da estância em que se demoravam; mas, por fim, Evelina se viu entontecida, fatigada, provisoriamente inabilitada a mais amplas ilações, e, moça de fé profunda, valeu-se de um intervalo na conversação, procurando saber:

— Irmão Cláudio, não posso duvidar de suas afirmações, embora me custe a crer que estamos na posição de pessoas desencarnadas, conforme as suas expressões. Esteja certo de que não desejo perder, de modo algum, a sua orientação; contudo, gostaria de tomar contato com um sacerdote, um padre católico, por exemplo... Ficaria feliz se pudesse entregar-me à prática da confissão, permutar ideias livremente com um diretor da fé que me formou o caráter, sem qualquer constrangimento da vida social...

O amigo bondoso sorriu compreensivo e esclareceu: **9.8**
— A Igreja aqui está positivamente renovada, posto que possamos encontrar representantes de todas as religiões terrestres, aferrados a dogmas, concepções estreitas, preconceitos e tiranias diversas do fanatismo, nas áreas vizinhas em que se congregam milhares e milhares de inteligências rebeldes e perturbadas. Aqui, propriamente, os sacerdotes não a ouviriam em confissão de natureza religiosa. Enviá-la-iam a um dos nossos institutos de psiquiatria protetora, em que a irmã pode e deve ter a sua ficha para receber a assistência necessária...
— Para tratamento? — aparteou Fantini.
— Tratamento e auxílio. Uma carteira de identificação para serviços de amparo e análise, numa casa de supervisão espiritual das que me refiro, é valioso documento para que não estejamos aqui, nos primeiros tempos de adaptação, num lugar intermediário entre planos inferiores e superiores, sem a assistência justa. É indispensável nos poupemos, tanto quanto possível, a dissabores desnecessários.
— Oh! — exclamou Ernesto, entusiasmado —, esse tipo de confissão me interessa... Se estamos mortos...
— O seu *se* — obtemperou o mentor bem-humorado — demonstra que você e Evelina me consideram um contador de histórias inverídicas... Vocês estão desencarnados com raízes pregadas no chão da Terra; todavia, isto é natural. Aguardemos o tempo.
Em meio de puras vibrações de confiança e simpatia, a senhora Serpa e o amigo solicitaram o apoio do mentor, a fim de que pudessem realizar contatos com uma das instituições psiquiátricas da cidade, ficando estabelecido que atenderiam a isso, tão logo a administração do hospital o consentisse.

10
Evelina Serpa

0.1   Devidamente credenciados, Evelina e Ernesto, após ligeiro trajeto pelas ruas da cidade que se lhes figurou encantadora, alcançaram o Instituto de Proteção Espiritual.

Acolhidos carinhosamente pelo instrutor Ribas, dedicado à clínica psiquiátrica, no departamento assistencial que lhe dizia respeito, sentiam-se tão à vontade, do ponto de vista do habitual, como se estivessem visitando moderno consultório terrestre. Em tudo, simplicidade, conforto, segurança. Atendentes à vista. Fichários. Aparelhos diversos para registro do pensamento.

Depois das apresentações, o instrutor-médico entrou no assunto:

— Estamos informados de que se ficharão aqui em nosso gabinete e podemos começar por nossa irmã.

Ato contínuo, acenou para um funcionário a quem nomeou por irmão Telmo, e, obedecido pelo auxiliar, designou Ernesto a ele, anunciando:

— Ficarão juntos, enquanto ouço a irmã Evelina...

E para Fantini, bem impressionado:

— Nada tema. Toda conversação em nosso Instituto está subordinada ao encorajamento e à saúde. Nada de pensamentos negativos. Tão logo termine o entendimento inicial com a nossa amiga, teremos nosso encontro.

Revestia-se aquele quadro íntimo de tamanha espontaneidade, que os dois recém-chegados não conseguiram atinar com a verdadeira situação.

Estariam no mundo espiritual ou na Terra mesmo, na Terra que lhes era familiar, em algum sítio desconhecido, onde se lhes falava do *espírito libertado* com alguma finalidade terapêutica? — pensavam os dois. E chegavam quase a admitir que talvez tivessem estado loucos, achando-se agora em recuperação.

Acalentando semelhantes dúvidas, Evelina acompanhou, docilmente, o médico, e, chegados a uma sala, mobilada com distinção e singeleza, assentou-se na poltrona que ele lhe indicou, explicando, atencioso:

— Esteja tranquila. Nosso Instituto se consagra à proteção e ao tratamento de seus tutelados. Primeiro, a cobertura socorrista, depois, o reajustamento, se necessário. Em razão disso, teremos tão só um entendimento fraternal. Nada de cerimônias. Conversaremos simplesmente e todos os seus informes serão gravados para estudos posteriores. A bem dizer, funciono aqui quase que apenas na condição de introdutor dos clientes, de vez que os nossos analisados possuem vasta coleção de amigos na retaguarda, amigos que lhes examinarão as palavras e reações, de modo a saber em que sentido e até que ponto lhes prestarão o auxílio de que se mostrem carecedores.

Diante de Evelina admirada, a um gesto do mentor grande espelho se fez visível, junto à poltrona, dando a ideia de que a peça fora ligada ao sistema elétrico, por disposições especiais.

— Nossa palestra será filmada. Simples recurso para que os seus contatos com a nossa casa sejam seguidos com segurança, no capítulo da assistência de que não prescindirá em seus primeiros tempos de vida espiritual. Tranquilize-se, compreendendo, porém, que todas as suas perguntas e respostas se revestem da maior importância para seu benefício. Por suas indagações, a autoridade do Instituto identificará a sua posição no conhecimento e, por suas respostas, saberá o montante de suas necessidades. Conversemos.

Perante aquele olhar, brando e enérgico ao mesmo tempo, reconheceu-se Evelina qual criança de letras primárias, ante examinador experiente, e, concluindo que não lhe seria lícito recusar a prova, perguntou com respeitosa coragem:

— Instrutor Ribas, conquanto o senhor tenha feito referências a meus *primeiros tempos de vida espiritual,* é verdade que somos Espíritos desencarnados, pessoas que não mais habitam a Terra?

— Perfeitamente, embora a irmã não consiga ainda certificar-se disso.

— Por que semelhante inadaptação?

— Falta de preparo na vida física. De modo geral, a sua posição de surpresa é comum à maioria das criaturas terrestres, em virtude da ausência de integração real com as experiências religiosas a que se afeiçoam.

— Se estamos efetivamente *mortos,* acredita o senhor que eu, na condição de católica, devo apresentar ou deveria apresentar um índice mais completo de comunhão com a verdade espiritual que não estou conseguindo entender?

— Claramente.

— Como assim?

— Se a irmã, durante a sua existência no corpo denso, pensasse firmemente nos ensinos de Jesus, o Divino Mestre que se reergueu do túmulo para a demonstração da vida eterna, se meditasse na essência dos ofícios religiosos de sua fé, todos eles dirigidos a Deus e, depois de Deus, aos mortos sublimes, como sejam Nosso Senhor Jesus Cristo, sua Augusta Mãe e aos Espíritos heroicos que veneramos por santos da vida cristã, decerto não experimentaria o assombro que, até agora, lhe insensibiliza os centros de força, apesar da elevação e da delicadeza de suas aspirações.

Viu-se Evelina, de repente, transportada pelas molas mágicas da imaginação, ao seu velho templo religioso... Recordou as preces, os cânticos, as novenas e os rituais litúrgicos de que partilhara, como se unicamente ali, naquele gabinete de análise espiritual, pudesse penetrar-lhes o sentido. Como não se inclinara a interpretá-los, antes, por invocações ao mundo espiritual? Como não lhes percebera, até aquela hora, a função de canais de comunicação com as Forças Divinas?...

Em pensamento, aspirava a rever-se em São Paulo, caminhar para o recinto de sua devoção religiosa e saudar na própria crença o ponto mais alto da vida, aquele, através do qual, lograva entregar-se à proteção do Todo-Misericordioso, com as suas dores e alegrias, aflições e ânsias mais íntimas... Lembrou-se de Jesus, fosse nas esculturas ou nos painéis, nas pregações e conversações, como um Espírito Divino a bater-lhe, debalde, às portas do coração, tentando ensinar-lhe a viver e a compreender...

E, ao refletir no Mestre de paciência infinita, a cuja magnanimidade recorria em todas as dificuldades e tribulações, sem se dar ao trabalho de perquirir-lhe as lições e acompanhar-lhe os exemplos, entrou em crise de lágrimas, qual se a fé cristã, excelsa e piedosa, se lhe transfigurasse em juiz nos recessos da alma, exprobrando-lhe o comportamento.

— Oh! Meu Deus!... — inferia em pranto. — Por que precisei *morrer* para compreender? Por que, Senhor? Por quê?!...

Ali comparecia para retratar-se moralmente, falar de si própria, prestar contas; entretanto, que trazia na própria bagagem senão o vazio de uma existência que lhe parecia então inútil? Tinha a ideia de que as trancas mentais que a isolavam das realidades eternas se haviam rompido, de chofre, na leveza de pensamento que passara a desfrutar, e aquele Jesus que adorara por fora lhe ganhava agora a intimidade do coração e lhe perguntava com infinita doçura: "Evelina, que fizeste de mim?"

A senhora Serpa, algo descontrolada, chorou convulsivamente diante do instrutor que a seguia, paternal.

O generoso amigo deixou que ela mesma estancasse a fonte das lágrimas e, ao vê-la asserenar-se, falou, comovido:

— A depressão momentânea lhe faz bem. A dor moral nos mede a noção de responsabilidade. Seu sofrimento de espírito, ao recordar-se do Senhor Jesus, evidencia a sua confiança nele.

Em tom mais afetuoso, o instrutor imprimiu novos rumos à análise em andamento, participando à jovem senhora que, praticamente, a sua ficha de identificação estava pronta, uma vez que, antes de sua vinda, o estabelecimento de saúde, pelo qual ingressara na cidade, fora consultado sobre a sua procedência e filiação na Terra.

Ainda assim, acrescentou:

— O seu depoimento aqui, porém, será valioso, porquanto, de posse dele, estaremos mais amplamente informados quanto à nossa tarefa de auxílio.

— Posso saber que auxílio será esse?

— Sim; por seus apontamentos, ser-nos-á possível aquilatar o tipo de amparo que lhe será ministrado.

— Entretanto, instrutor, não serei conhecida no mundo espiritual? Não temos, acaso, todos nós, guardiães na existência terrestre?

— Perfeitamente. E todos aqueles que nos conhecem possuem determinada versão de nossas experiências para uso deles próprios. Em nossos estudos, todavia, a sua versão pessoal é muito importante, considerando-se que as suas anotações autobiográficas se lhe jorrarão da própria consciência. Há que promovermos um autoencontro, no plano das realidades da alma, para o balanço preciso de nossas necessidades imediatas. Certamente, em outros lugares, a irmã comparecerá nas citações de muitos companheiros, retratada nas impressões que lhes terá causado; no entanto, em nosso instituto, recolheremos a sua projeção individual, intransferível.

Logo após, ante a expectação da cliente espantada, o benfeitor solicitou-lhe rememorasse, de viva voz, alguns traços da própria história, a começar das reminiscências mais antigas. Que evitasse um relatório exaustivo e sim procurasse sumariar notícias e lembranças, tanto quanto possível.

A senhora Serpa narrou, humilde:

— Minhas memórias principiam, confusamente, ao perder meu pai. Era uma criança tenra, quando escutei os gritos de minha mãe, agarrando-se a mim, a dizer-me que eu estava órfã... Pouco tempo decorrido, minha mãe deu-me um padrasto bom e amigo. Realizado o segundo matrimônio, ela e meu segundo pai resolveram abandonar a região em que morávamos, decerto no intuito de fugir a recordações indesejáveis. Apesar da ternura do homem que passara a chefiar nossa casa, sentia falta instintiva de meu pai; entretanto, a respeito dele, as notícias foram para mim sempre escassas. Acerca do seu falecimento, nada mais pude colher de minha mãe, em matéria de esclarecimento, senão que ele morrera de modo repentino, quando se achava num passeio... Mais crescida, compreendi que ela reprimia comentários, sobre o pretérito, esquivando-se a conflitos possíveis com o marido que, seja dito em louvor da verdade, lhe dedica, até hoje, enternecido afeto... Aos 12 anos, fui internada num educandário católico, no qual me diplomei para o magistério, sem exercê-lo em tempo algum, porque, desde o baile de formatura, me vi requestada por dois rapazes, ao mesmo tempo, Túlio Mancini e Caio Serpa. Confesso que, muito moça e muito irresponsável ainda, deixei que meu coração balançasse, entre os dois, prometendo fidelidade a ambos, simultaneamente. Quando admiti minha escolha definitiva na pessoa de Caio, que veio a ser meu esposo, Túlio tentou o suicídio e, ao vê-lo salvo, pensei no sacrifício a que se dera por minha causa e, de novo, me inclinei para ele... Quando me dispunha a requisitar de meu noivo a exoneração de qualquer compromisso, Túlio matou-se com um tiro no coração... Depois da terrível ocorrência, casei-me... Caio e eu fomos felizes, por alguns meses, até que vimos frustrado o anseio de possuir um filhinho... Abortei, logo ao engravidar. Em seguida, caí em deperecimento orgânico progressivo. Talvez em virtude da enfermidade que me acometeu sem pausa, Caio procurou nova companheira, uma jovem solteira, com quem passou a conviver, simulando vida conjugal na cidade grande... A vexatória situação em que me achei passou a me arrasar. As humilhações incessantes a que me vi exposta, dentro de casa, amargaram-me a existência... Desde então, nada mais tenho a confessar senão sofrimento moral e desânimo de viver, com a enfermidade de que me vejo em tratamento até hoje...

O instrutor fitou-a comovido e perguntou:

— A irmã chegou a desculpar o esposo infiel e a compadecer-se da rival?

A senhora Serpa refletiu alguns momentos e intercalou com amargura:

— De modo nenhum. Estou numa confissão em que tomo a Jesus por minha testemunha e não posso mentir. Nunca pude perdoar a meu marido pela deslealdade com que me afronta nem tolerar a presença da *outra* em nosso caminho.

O benfeitor, longe de alterar-se, interpôs, afetuoso:

— Compreendemos os seus sentimentos humanos e podemos encerrar a sessão de hoje. A irmã tem problemas difíceis a enfrentar, e o nosso Instituto verificará até que ponto conseguirá propiciar-lhe a devida cobertura. Permaneceremos em contato e prosseguiremos conversando em futuras reuniões.

Evelina retirou-se, sendo substituída por Fantini, cujo exame ia começar.

11
Ernesto Fantini

.1   Chegada a vez de Ernesto, que tomou a poltrona de analisando algo desconcertado, o instrutor formulou as explicações anteriores, solicitou-lhe articular perguntas e acendeu o espelho de gravação.

Fantini, um tanto mais à vontade, iniciou o interrogatório:

— Posso falar como se estivesse realmente morto, como me fazem crer?

O mentor sorriu ao escutar aquela frase de materialista inteligente, e objurgou sem aspereza:

— Fale tudo o que deseje, na convicção de que a teoria do *como se* está longe agora de nós. Estamos efetivamente desencarnados, encontrando a nós mesmos...

— Instrutor, se deixei meu corpo na Terra, sem lembrar-me disso, não é o caso de ter voltado ao ambiente natural do Espírito, com a obrigação de retomar a memória do tempo em que vivia, na condição de Espírito livre, antes de envergar, entre os homens, o corpo de que me desfiz? Por que motivo isso não acontece?

— A existência no carro físico, além de ser um estágio para aprendizagem ou cura, resgate ou tarefa específica, é igualmente um longo mergulho no condicionamento magnético, em que agimos, no mundo, induzidos ao que nos cabe fazer. O livre--arbítrio, na esfera da consciência, permanece vivo e intocado, porquanto, em quaisquer posições, a criatura encarnada é independente para escolher os próprios rumos; no entanto, as demais potências da alma, no período da encarnação, jazem orientadas na direção desse ou daquele trabalho, segundo os propósitos que tenha assumido ou que tenha sido constrangida a assumir.

Isso determina o obscurecimento das memórias pregressas que, aliás, não é senão um fenômeno temporário, mais ou menos curto ou longo, conforme o grau de evolução que tenhamos atingido.

— Teríamos sofrido, enquanto no plano físico, uma dilatada hipnose?

— Até certo ponto, sim. A passagem pelo claustro materno, o novo nome escolhido pelos familiares, os sete anos de semi--inconsciência no ambiente fluídico dos pais, a recapitulação da meninice, o retorno à juventude e os problemas da madureza, com as responsabilidades e compromissos consequentes, estruturam em nós — a individualidade eterna — uma personalidade nova que incorporamos ao nosso patrimônio de experiências. É compreensível que no espaço de tempo, que se nos sucede, imediatamente à desencarnação, a memória profunda esteja ainda hermeticamente trancada nos porões do ser. Isso, porém, é francamente transitório. Gradativamente, reaveremos o domínio de nossas reminiscências...

— O senhor quer explicar que, nesta cidade, sou ainda Ernesto Fantini, a personalidade humana com o nome que me foi imposto na existência que deixei, largando o estudo de minhas memórias anteriores para depois?

1.3 — Perfeitamente. Cada um de nós permanece aqui, em núcleos de trabalho e renovação, na vizinhança do plano físico, sob a mesma ficha de identificação, pela qual éramos conhecidos nela. Até que nos promovamos por merecimento próprio a círculos mais altos de sublimação, quedar-nos-emos entre a Espiritualidade superior e o estágio físico, operando no aperfeiçoamento pessoal, da internação no berço à liberação para a vida espiritual e regressando da liberdade na vida espiritual à nova segregação no berço. Entendeu?

— Aqui somos então examinados pelo que fomos, nas ações praticadas, no tempo de retaguarda mais próximo de nós...

— Isto.

— Somos como éramos, na ficha individual, até...

— Até que as circunstâncias nos indiquem nova imersão no corpo carnal, como recurso inevitável aos objetivos de burilamento a que todos visamos, nas lides da vida eterna.

— Somos quais éramos, em tudo, até mesmo na sinalização morfológica?

— Não tanto. Quaisquer sinais morfológicos se modificam na pauta das ordenações mentais. Isso ocorre, habitualmente, na própria Terra dos homens, quando a Ciência, sem maiores dificuldades, modifica os implementos da máquina genésica da criatura, de acordo com os impulsos psicológicos que a criatura apresente, harmonizando o binômio corpo-alma. Além disso, não nos será lícito esquecer os serviços multiformes da plástica cirúrgica, que consegue efetuar prodígios no envoltório carnal das pessoas, quando essas pessoas mereçam as melhoras com que a Ciência terrestre lhes acena, generosa e otimista.

Fantini se mostrava agradavelmente surpreendido pela destreza mental com que o instrutor sabia colocar-lhe os esclarecimentos precisos na cabeça faminta de luz.

— Caro amigo — tornou ele à inquirição. — embora o assunto de que vou tratar já tenha sido objeto de consideração na palestra que mantive com o irmão Cláudio, estimaria recolher-lhe os avisos no mesmo tema... Acontece que ouvi falar de mortos, e de mortos cultos, que atravessaram anos e anos atormentados em zonas inferiores, antes de reconquistarem lucidez e tranquilidade; por que não me ocorreu isso, se estou efetivamente desencarnado e sou um homem consciente das culpas que carrega?

— O estado de tribulação a que se refere é pertinente ao espírito e não ao lugar. Muitos de nós, os desencarnados, suportamos tempos difíceis, em paisagens determinadas que nos refletem as próprias perturbações íntimas. Essa anomalia pode perdurar por muito tempo, de conformidade com as nossas inclinações e esforço indispensável para que nos aceitemos, imperfeitos como ainda somos, conquanto não ignoremos a necessidade de burilamento que as leis da vida nos estabelecem. Somos, por agora, consciências endividadas ou expoentes de evolução deficitária, ante a vida maior, carregando o dever de podar os nossos defeitos em trabalho digno e incessante. Enquanto estejamos em desequilíbrio, após a desencarnação, desequilíbrio que é sempre agravado pela nossa inconformidade ou rebeldia, orgulho ou desespero, ameaçando a segurança dos outros, permaneceremos compreensivelmente internados ou segregados em faixas de espaço, junto de quantos evidenciem perturbações ou conflitos semelhantes aos nossos, à maneira de doentes mentais afastados do convívio doméstico para tratamento justo.

— Então, as ideias do *castigo de Deus*...

— Razoável que as abracemos, até que aprendamos que a Divina Providência nos governa por meio de leis sábias e imparciais. Cada um de nós pune a si mesmo, nos artigos dos estatutos excelsos que haja infringido. A Justiça Eterna funciona no foro íntimo de cada criatura, determinando que a responsabilidade seja graduada no tamanho do conhecimento...

11.5 — Instrutor Ribas, como definir, desse modo, o inferno engenhado pelas religiões no planeta?

— Reportemo-nos a isso com o respeito que o assunto nos reclama, porque para milhões de almas o desconforto mental a que se entregam, ao lado de outras nas mesmas condições, é perfeitamente comparável ao sofrimento do inferno teológico, imaginado pelas crenças humanas. A rigor, porém, e atentos à realidade de que Deus jamais nos abandona, o inferno deve ser interpretado na categoria de hospício, onde amargamos as consequências de faltas, no fundo, cometidas contra nós mesmos. Fácil perceber que a área de espaço em que nos demoremos nessa desoladora situação venha a retratar os quadros mentais infelizes que criamos e projetamos ao redor de nós.

— Ouso aprofundar-me em tantas inquirições, por achar-me convencido de que, positivamente, não mereço a generosidade com que me acolhem... Tenho desfrutado aqui uma tranquilidade que não esperava, porquanto transporto comigo doloroso problema de consciência...

— Uma das funções de nosso Instituto é precisamente apoiar os irmãos desencarnados que surgem aqui, sem qualquer prejuízo na própria integridade moral, mas carreando consigo complexos de culpa, suscetíveis de arrojá-los em alterações de maior vulto. O socorro de nossa casa faz-se tanto mais eficaz quanto mais força de fé patenteie a criatura na possibilidade de superação das fraquezas que nos são peculiares. A sua estrutura psicológica imunizou-o contra os delírios de muita gente boa e digna que, às vezes, se obriga a muito tempo nas aflições purgativas dos grandes manicômios a que nos referimos, sanando os desequilíbrios a que se despenham, em muitos casos por haverem dado orientação falsa ao amor de que se nutriam.

Entregou-se Ribas a ligeira pausa, sorriu e alegou:

— Ainda assim, apesar do seu índice admirável de resistência, o irmão não está seguro contra os resultados de seus próprios atos e deve aprestar-se a fim de ser defrontado por eles.

— Esclareça-me, por favor.

— Queremos dizer que você necessita revestir-se de calma para comparecer diante daqueles que deixou no mundo, de modo a compreender-se e compreendê-los... Na esfera física, muitas vezes ouvimos a afirmativa de que é preciso coragem para ver os mortos e ouvi-los!... A situação aqui não é diferente, em relação aos chamados vivos. De maneira geral, todos nós, imediatamente depois da desencarnação, somos levados a cursos preparatórios de entendimento, para ganhar o ânimo indispensável, a fim de rever os vivos e escutá-los de novo, sem danos para eles e para nós...

Os olhos de Ernesto fizeram-se esbugalhados nas órbitas ao assinalar aquelas advertências. Lágrimas grossas deslizaram-lhe na face, enquanto, como se sofresse a pressão de molas invisíveis, constrangendo-o a lançar para fora de si as ideias de culpa, que remoía nos recessos da alma, ajoelhou-se à frente do benfeitor, qual criança atemorizada e gritou:

— Instrutor, segundo creio, meu delito é um só; entretanto, é suficiente para criar muitos infernos em meu espírito. Matei um amigo, há mais de vinte anos, e nunca mais tive paz... Sabia-o no encalço de minha esposa com intenções menos dignas, a espreitar-lhe os passos e atitudes...Via-o sondar minha casa, em minha ausência... Algumas vezes, registrei frases inconvenientes da parte dele para com aquela que me partilhava o nome... Um dia, tive a impressão de surpreender nos olhos da companheira certa inclinação afetiva para com o inimigo de minha tranquilidade e, muito antes que minhas suposições se confirmassem, aproveitei o momento que se me figurou oportuno e alvejei-o durante uma caçada a codornas...

11.

Atirei para acertar e, satisfeito o meu intento, ocultei-me na folhagem, até que o outro companheiro, pois éramos três homens no entretenimento, deu alarme ao esbarrar com o cadáver... A vítima, porém, caíra ao solo em condições tais que a versão de um acidente senhoreou a convicção de todos os circunstantes... Aterrado perante o meu crime, qual me achava, aceitei, aliviado, a falsa interpretação... Jamais, no entanto, recuperei o sossego íntimo... Ele, o homem que eliminei, era casado, tanto quanto eu mesmo, e não mais tive coragem de procurar-lhe a família, que, para logo, abandonou a região do terrível acontecido, sequiosa de esquecimento... Esse esquecimento, contudo, não veio para mim... A morte que provoquei como que me trouxe o temido desafeto para dentro de casa... Desde a ocorrência dolorosa, passei a sentir-lhe a presença no lar, à feição de sombra invariável que me ironiza e me insulta sem que os outros percebam... Em meu círculo doméstico, reconheço-me algemado a ele, como se o infeliz estivesse mais vivo e mais forte a cada dia... Rara a noite em que não lutava com ele em sonho, antes da cirurgia que motivou minha vinda para cá... Então, acordava, como se houvéssemos travado um duelo mortal, para continuar a vê-lo, com os olhos da imaginação, compartilhando-me a vida cotidiana!... Ó! Instrutor Ribas! Instrutor Ribas!... Diga-me, por Deus, se há remédio para mim!... Esperava encontrar, depois da morte, um lugar de punição onde as potências infernais cobrassem de mim a falta que ocultei à justiça da Terra; entretanto, estou usufruindo uma proteção exterior que me agrava o tormento íntimo!... Ó!... meu amigo, meu amigo, que será então de mim, que não mais consigo suportar a mim mesmo?

Assim dizendo, Fantini abraçou-se ao mentor, soluçando qual menino desamparado, suplicando refúgio.

O instrutor acolheu-o no regaço paternal e consolou-o:

— Asserena-te, meu filho!... Somos Espíritos Eternos e Deus, nosso Pai, não nos deixará sem arrimo.

Os olhos de Ribas mostravam lágrimas que não chegavam a cair. Dir-se-ia que ele, o competente orientador, conhecia por si semelhante martírio da consciência, porque, longe de repreender, afagou a cabeça fatigada de Fantini, que se lhe abrigara sobre os joelhos, e rematou simplesmente:

— A Justiça de Deus não vem sem apoio na misericórdia. Confiemos!...

E sem maior delonga, o amigo espiritual ergueu-se, sensibilizado, apagou o espelho de serviço e encerrou a sessão.

# 12
Julgamento e amor

2.1   Transcorridas algumas semanas, Ernesto e Evelina achavam-se menos bisonhos no ambiente.

Conquanto as afeições que prosseguiam entesourando, sentiam-se cada vez mais vinculados um ao outro. Sensivelmente melhorados, demoravam-se ainda no hospital, mas domiciliados em pavilhões de convalescentes, cada qual no departamento próprio, de vez que as referidas construções abrigavam homens e mulheres, em vasta agremiação de lares-apartamentos para uso individual. Desfrutavam a devida permissão para se movimentarem na cidade como quisessem, apenas com a observação de que somente lhes seria lícito visitar os arredores, onde se acomodavam milhares de Espíritos infelizes, com assistência adequada.

Efetivamente os dois começavam a experimentar necessidade de serviço disciplinado e regular, mas, se pediam trabalho ou qualquer atividade no antigo lar terrestre que ainda não haviam logrado rever, as respostas da autoridade competente eram ainda invariáveis. Que aguardassem mais tempo, que seria justo atender à imprescindível preparação. À vista disso, frequentavam bibliotecas, jardins, instituições e entretenimentos diversos, figurando-se-lhes a vida, ali, uma fase longa de repouso mental em tranquila colônia de férias. Chegara, porém, o dia em que Evelina realizaria um dos seus maiores anelos naquele ninho de bênçãos. Fantini prometera conduzi-la, com o preciso consentimento dos benfeitores, a um templo religioso para assistirem ao ofício da noite que se constituiria de uma pregação sob o título "Julgamento e amor", previamente anunciada. Ambos ardiam em curiosidade, porquanto ansiavam conhecer de perto como se processavam as criações religiosas, naquele mundo para eles extremamente belo e novo.

À noitinha, puseram-se em marcha.

A senhora Serpa recordava em caminho as visitas de outro tempo ao santuário de sua fé e albergava no coração as mais doces reminiscências...

Sensibilizada, monologava intimamente: "como perdera o convívio dos entes mais caros e por que se apoiava, ali, no braço de um homem que vira na Terra tão somente uma vez?"

Em torno, o vento brando carreava o perfume de jardins e praças em flor.

A Lua, a erguer-se do horizonte, era o mesmo espetáculo de majestade e beleza a que se acostumara no mundo...

De quando em quando, permutava com Fantini uma que outra frase, observando que outros ranchos[13] simpáticos caminhavam na mesma direção.

Transcorridos alguns minutos de alegre peregrinar, ei-los diante do templo que primava pela simplicidade, figurando-se enorme pombal edificado com franjas de neve translúcida, defendido, aqui e ali, por densas faixas de arvoredo.

No interior, tudo espontaneidade e harmonia.

---

13 N.E.: Grupo de pessoas reunidas para determinado fim, esp. em marcha ou jornada.

2.3   A fila extensa de bancos deixava ver o púlpito à frente, que assumia a feição de enorme liliácea, esculpida em mármore alvíssimo.

Na parede muito branca, diante da assistência, sob as legendas "Templo da Nova Revelação", "Casa Consagrada ao Culto de Nosso Senhor Jesus Cristo", em vez de quaisquer símbolos ou esculturas, jazia apenas uma tela, recordando o semblante presumível do Divino Mestre, cujos olhos na excelsa pintura pareciam falar de vida e onipresença.

Sentada com Fantini, lado a lado, a senhora Serpa fitou os rostos, serenos uns e ansiosos outros, que os cercavam em profundo silêncio, e mergulhou o coração em prece muda.

Em dado instante, qual se materializasse inesperadamente na tribuna ou até ali fosse ter, através de porta oculta à observação do auditório, um homem, envergando túnica lirial, surgiu e saudou a assembleia, reverente.

Logo após, dirigiu-se para o Alto e, em oração comovedora, rogou as bênçãos de Jesus para os ouvintes expectantes.

De seguida, aproximou-se de grande exemplar do Novo Testamento, aberto sobre delicado porta-livro, e leu os versículos 1 a 4, do capítulo 7 do Evangelho do apóstolo Mateus:

"Não julgueis para não serdes julgados, pois, com o critério com que julgardes, sereis julgados; e, com a medida com que tiverdes medido, vos medirão também.

Por que vês tu o argueiro no olho de teu irmão, sem notares, porém, a trave que está no teu próprio? Ou, como dirás a teu irmão: 'Deixa-me tirar o argueiro do teu olho, quando tens a trave no teu?'."

Terminada a leitura, deteve-se o ministro em dilatada concentração, qual se buscasse inspiração nas profundezas da própria alma.

Ernesto e Evelina, porém, viram surpresos, que, ao revés, o pensamento dele se exteriorizava, em forma de larga auréola de luz, que se lhe alteava da cabeça, à maneira de chama, elevando-se cada vez mais...

A curto espaço de segundos, clarões jorravam de cima, lembrando as chamadas línguas de fogo do dia de Pentecostes, e o sacerdote simpático iniciou a pregação de que respigaremos apenas alguns trechos que lhe definem a tessitura de sabedoria e beleza:

12.4

— Irmãos, até ontem éramos parte integrante da coletividade humana — a nossa bendita família da retaguarda — e acreditávamos no poder de julgar-nos uns aos outros. Encastelados nas ideias religiosas que supúnhamos escravizar a serviço de nossas paixões, imaginávamos adversários e transviados quantos não pensassem por nossos princípios.

"Interpretávamos os ensinamentos de Nosso Senhor Jesus Cristo, conforme o nosso arbítrio, exigindo que o Senhor da Vida se nos fizesse rebaixado servidor, na estrada sombria e tortuosa que não nos cansávamos de palmilhar; entretanto, despojados hoje do corpo de matéria mais densa que nos acalentava as ilusões, aprendemos que todos somos consciências deficitárias perante a Lei. E compreendemos agora, para felicidade nossa, que apenas o Senhor dispõe de recursos para avaliar-nos consideradamente, porque, em verdade, ser-nos-á possível tão somente examinar a nós próprios.

"O que tenhamos sido no imo do sentimento, enquanto na existência do corpo terrestre, somos aqui.

"Neste pouso de luz que o Senhor nos faculta por moradia temporária, percebemos, sem qualquer constrangimento de ordem exterior, que todos os petrechos mantenedores das aparências que nos disfarçavam no mundo, para o desempenho do papel que nos cabia na ribalta humana, nos foram retirados, a fim de que sejamos aqui, na esfera da realidade espiritual, quem nos propusemos ser, com tudo o que tenhamos ajuntado em nós de bem ou de mal, durante o estágio na escola física!...

2.5	"Muitos de vós outros carregais ainda hábitos e enganos da experiência carnal que, gradativamente, perdereis por não encontrarem neste meio qualquer significação...

"Vossos palácios ou casebres, títulos convencionais ou qualificações pejorativas, privilégios ou cativeiros, honras familiares ou desconsiderações públicas, vantagens ou prejuízos de superfície, todos os condicionamentos mentais que vos centralizavam na ideia de direitos supostos ou imaginárias reclamações, com o abandono dos deveres naturais de aperfeiçoamento espiritual para a vida eterna, desapareceram no dia em que os homens, por força da desencarnação, vos impuseram ao nome um atestado de óbito no planeta, senhoreando-vos os patrimônios e analisando-vos os atos, para, ao depois, muitos deles, varrer-vos do pensamento, com a falsa convicção de que vos podem desterrar da memória para sempre!...

"Quantos de vós viestes escutar aqui as vozes da verdade para as quais tantas vezes selastes os ouvidos do corpo terreno?

"A Divina Providência não pergunta o que fostes, porque nos conhece a cada um em qualquer tempo... Entretanto, é justo investigue sobre o que fizestes dos tesouros do tempo, concedido a nós todos em parcelas iguais...

"Sábios, em que aplicastes os dotes do conhecimento superior? Ignorantes, onde colocáveis o talento das horas? Ricos, em que trabalho dignificastes o dinheiro? Irmãos destituídos de reservas douradas, mas tanta vez detentores de bênçãos maiores, que realizastes com as oportunidades de paciência e serviço, compreensão e humildade na esfera da obediência? Jovens, que operastes com a força? Companheiros encanecidos na marcha do cotidiano, em que boas obras convertestes o clarão de vosso entendimento?

"Não vos iludais!...

"Qual ocorreu a nós outros, os que habitamos atualmente o Plano Espiritual desde longas décadas, trouxestes para cá o que efetuastes de vós mesmos... Aprendestes o que estudastes, mostrais o que fizestes, entesourais o que distribuístes!...

"Em suma, atravessada a Grande Fronteira, somos simplesmente o que somos!

"Reconhecereis, assim, no curso do dia a dia, neste domicílio das realidades excelsas, que todos os disfarces que nos encobriam a individualidade real no mundo se extinguem naturalmente, expondo-nos à vista a esfera íntima.

"Fora das constrições carnais, cada Espírito se revela por si.

"Mecanicamente, na residência ancestral da alma, estampamos nas atitudes e palavras os sentimentos e pensamentos que nos são peculiares, sem que nos seja mais possível qualquer recurso à simulação.

"Patenteando de todo o que somos e o que temos, nos recessos do ser, terá chegado para cada um de nós a hora do julgamento, porquanto a Divina Misericórdia do Senhor nos oferece ainda, aqui como em tantas outras estâncias da Espiritualidade, esta cidade-lar, como uma antecâmara de estudo e serviço, possibilitando-nos valiosos aprestos para a ascensão à vida maior, em cujas províncias nos aplicaremos à conquista de dons inefáveis, na continuação da luta bendita pelo aperfeiçoamento próprio.

"Quantos, porém, desprezarem as sublimes oportunidades do tempo, no clima de recomposição a que nos acolhemos agora, decerto que, por eles mesmos, recuarão para os distritos vizinhos, onde se afinam os agentes da perturbação e das trevas — doentes voluntários, seviciando-se, em lamentável regime de reciprocidade — até que, fatigados de rebeldia, roguem à piedade das Leis Eternas a preciosa dádiva das reencarnações de sofrimento regenerativo para o retorno a estes sítios, Deus sabe quando!...

"Não aspiramos a dizer com as nossas afirmativas que o renascimento no campo físico seja sempre cadinho de reparação aos delitos que praticamos, pois milhares de companheiros, depois de longo e honesto esforço pela própria corrigenda, entre nós, com larga cota de tempo em nossa colônia de trabalho e reforma, volvem ao corpo carnal, honrados com tarefas de abnegação e heroísmo obscuro, junto de alguém ou ao lado de grupos afins, granjeando, em louvável anonimato, concessões e vitórias dignas de apreço que, apesar de permanecerem quase sempre ignoradas pelos homens, se lhes erigem, aqui, em passaportes de libertação e acrisolamento para as esferas superiores!..."

2.7   Ante a pausa que surgiu espontânea nos lábios do orador que se aureolava de intensa luz, Evelina e Ernesto se entreolharam e, em seguida, com ligeira mirada sobre os circunstantes, notaram que dezenas de rostos se banhavam de lágrimas.

— Irmãos — continuou o ministro —, não vos sintais num tribunal de justiça, quando nos achamos numa casa de fé!... Mãe amorosa dos nossos impulsos de melhoria e sublimação, diz-nos a fé, neste recanto operoso e tranquilo, que não obstante desencarnados é preciso reconhecermos que as nossas ocasiões de trabalho e progresso, retificação e aprendizagem não chegaram a termo!...

"Aceitemo-nos quais somos, reconheçamos o montante de nossas dívidas e coloquemos mãos fiéis no arado do serviço ao próximo, sem olhar para trás... A cidade que nos reúne está repleta de instituições beneméritas com as portas descerradas ao voluntariado de quantos queiram colaborar no socorro aos que chegam até nós, em posição de angústia ou necessidade, todos os dias... Na crosta planetária, onde as criaturas irmãs da retaguarda travam dura batalha de evolução, entes queridos, ainda encarnados, exigem-nos os mais entranhados testemunhos de ternura humana, por meio do concurso espiritual que lhes possamos administrar, nos domínios da compreensão e do amor, a fim de que continuem a viver na experiência terrestre que lhes é necessária, tranquilos e felizes, sem nós... Todo um apostolado de renúncia construtiva, abnegação, carinho e entendimento se descortina para a maioria de vós outros no lar terrestre, onde quase todos estais ainda vinculados por pensamento e coração!...

"Além disso, estamos cercados, em quase todos os flancos, por multidões de companheiros dementados, a nos pedirem amor e paciência para que se refaçam!... Na arena física, multiplicávamos apelos a que se pusessem mesas dedicadas aos famintos e se acumulassem agasalhos para o socorro à nudez... Aqui, somos desafiados à formação e sustentação do devotamento e da tolerância, para que a harmonia e a compreensão se estabeleçam na alma sofrida e conturbada dos nossos irmãos tresmalhados nas sombras de espírito.

"Caridade, meus irmãos!... Amor para com o próximo!...

"Muitas vezes, o serviço de alguns dias pode endossar-nos valioso empréstimo de energias e meios para as empresas de recuperação e elevação que nos requisitam o esforço de muitos anos.

"Oremos, suplicando ao Senhor nos inspire, a fim de que venhamos a escolher decididamente a estrada de purificação em novos e benditos avatares na estância física, ou a vereda ascendente para a vida maior!..."

Calou-se o sacerdote em prece muda.

Do teto pendiam estrias de safirina luz, quais pétalas minúsculas que se desfaziam ao tocar a cabeça dos presentes, ou desapareciam, de leve, atingindo o chão.

Dir-se-ia que no peito do ministro, em profunda concentração mental, se inflamara uma estrela de prata translúcida, de cujo centro se irradiava, docemente, toda uma chuva de raios liriais, inundando o salão.

Fantini estava comovido, mas Evelina, qual sucedia a muitos dos companheiros ali congregados, não conseguia jugular o pranto que lhe vinha em onda crescente do coração aos olhos.

A senhora Serpa não saberia explicar a razão da emotividade que lhe assaltara os recessos do espírito, extremamente sensibilizada como se achava, ignorando se devia aquelas abençoadas lágrimas às aspirações para o Céu ou às saudades da Terra... Não mais ouviu as derradeiras palavras do ministro ao encerrar o ofício da noite. Sabia apenas que se amparava agora de maneira total no braço do amigo, junto de quem se retirou do recinto, soluçando...

13
Tarefas novas

3.1   Profundamente sensibilizados com as apreciações ouvidas no templo, Evelina e Ernesto solicitaram admissão à caravana socorrista que o irmão Cláudio presidia, em visita semanal à região dos companheiros perturbados e sofredores.

Aquele mesmo amigo do Instituto de Ciências do Espírito atendeu-lhes o pedido com simpatia e benevolência e, mais alguns dias passados, vamos encontrar os dois amigos integrando operoso conjunto de serviço, que passava, então, ao número de oito pessoas, cinco homens e três mulheres, entre as quais se achava a irmã Celusa Tamburini.

Na peregrinação de fraternidade, a equipe descia na direção de vale extensíssimo, destinando-se especialmente naquele dia ao culto do Evangelho, no lar de Ambrósio e Priscila, casal que desempenhava o encargo de guardiães, dentre os muitos sediados na fronteira que assinala os pontos iniciais da zona conflagrada pelas projeções mentais dos irmãos em desequilíbrio.

Tão logo se lhes descortinou mais ampla faixa da paisagem, Ernesto e Evelina não conseguiam sopitar as expressões de assombro. Densa névoa, a patentear-se por diversas tonalidades de cinza, barrava a província em toda a linha divisória. Pela primeira vez, enxergaram nos céus máquinas voadoras que se dirigiam da cidade para o território sombrio, semelhantes a grandes borboletas silenciosas refletindo o sol que lhes punha à mostra as asas, como que estruturadas em pedaços de arco-íris.

Fantini desfechou para logo uma indagação, a que Cláudio respondeu, satisfeito:

— São aparelhos volantes, em que viajam comissões de trabalho, em tarefas de identificação e assistência.

— A região é tão grande assim?

— Imagine um deserto planetário, com muitas sesmarias de área, marginadas por cidades ordeiras e prósperas, e terá a exata noção do que nos ocorre aqui.

— E esses viajantes, através do ar, desencarnados como estão, acaso não lograriam seguir adiante, sem esses engenhos, usando o poder de volitação[14] que lhes é próprio?

O chefe sorriu e ponderou:

— Tudo na vida se rege por leis. Um pássaro terrestre possui asas e foge do campo incendiado, por não suportar-lhe a cortina de fumo. Um bombeiro, a fim de penetrar numa casa invadida de fogo, veste roupa defensiva.

E aditou:

— Achamo-nos à frente de perigosa extensão de espaço, habitada por milhares de criaturas rebeldes que constroem, à custa dos próprios pensamentos em desvario, o ambiente desolado que se nos impõe à vista. Aí, nesse mundo diferente, somos defrontados pelas mais estranhas edificações, todas elas caricaturas

---

14 N.E.: Locomoção no ar.

dos abrigos domésticos de que os donos abusaram na experiência física, uma verdadeira floresta de fluidos condensados, retratando as ideias e manias, ambições e caprichos, remorsos e penitências dos moradores. Temos aí, nessa faixa umbralina, todo um estado anárquico, em que o individualismo se desborda na hipertrofia da liberdade, sem os constrangimentos benéficos da disciplina, que nos faz realmente livres pela voluntária sujeição de nossa parte aos dispositivos das Leis de Deus.

13.3 — E por que Deus permite a formação desses *quistos* gigantescos de perturbação e desordem? — inquiriu Ernesto, num rasgo de lógica humana.

— Ah! meu amigo — obtemperou o irmão Cláudio —, sempre que indagamos de nossos Maiores por que não interfere a Divina Providência no campo da inteligência corrompida no mal, a resposta invariável é que o Criador exige sejam as criaturas deixadas livres para escolherem o caminho de evolução que melhor lhes pareça, seja uma avenida de estrelas ou uma vereda de lama. Deus quer que todos os seus filhos tenham a própria individualidade, creiam nele como possam, conservem as inclinações e gostos mais consentâneos com o seu modo de ser, trabalhem como e quanto desejem e habitem onde quiserem. Somente exige — e exige com rigor — que a justiça seja cumprida e respeitada. "A cada um será dado segundo as suas obras". Todos receberemos, nas Leis da Vida, o que fizermos, pelo que fizermos, quanto fizermos e como fizermos. De conformidade com os preceitos divinos, podemos viver e conviver uns com os outros consoante os padrões de escolha e afetividade que elejamos; entretanto, em qualquer plano de consciência, do mais inferior ao mais sublime, o prejuízo ao próximo, a ofensa aos outros, a criminalidade e a ingratidão colhem dolorosos e inevitáveis reajustes, na pauta dos princípios de causa e efeito que impõem amargas penas aos infratores. Somos livres para desenvolver as nossas tendências, cultivá-las e aperfeiçoá-las, mas devemos concordar com os estatutos do Bem Eterno, cujos artigos e parágrafos estabelecem sejam feitas e mantidas, no bem de todos e no amparo desinteressado aos outros, as garantias de nosso próprio bem.

Atingindo a orla escura da esquisita povoação, que começava, aqui e além surgiam criaturas andrajosas e alheadas. 13.4

Não se podia afirmar fossem criaturas análogas aos mendigos, de alguma praça terrena, em penúria. Esse ou aquele habitante do imenso arrabalde davam a ideia de pessoas que o orgulho ou a indiferença tornavam espiritualmente distantes. De par com esse gênero de transeuntes, outros apareciam entremostrando ironia e desprezo na mímica escarnecedora com que apontavam os viajantes ou a estes se dirigiam. Quase todos exibiam roupas estranhas, cada qual obedecendo às condições e dignidades a que supunham pertencer.

A uma pergunta desfechada por Fantini — pois Evelina e ele eram os únicos adventícios na equipe socorrista — Cláudio observou:

— De modo geral, os milhares de irmãos que se abrigam nestas paragens não se aceitam como são. Habituaram-se de tal maneira às simulações — aliás, muitas vezes, necessárias — da experiência física, que se declaram ofendidos pela verdade. Viveram, anos e anos, na esfera carnal, desfrutando essa ou aquela consideração pelos valores de superfície que exibiam, enfatuados, e não se conformam com a supressão dos enganos e privilégios imaginários de que se alimentavam... Narcisos fixados à própria imagem na retaguarda... Muitos se transferiram diretamente da vida física para a região nebulosa sob nossa vista, e outros muitos habitaram, logo após a desencarnação, cidades de recuperação e adestramento, semelhantes à nossa; entretanto, à medida que se evidenciavam, tais quais ainda são na realidade, absolutamente sem quaisquer simulacros dos muitos de que se valiam na estância terrestre para encobrirem o "eu" verdadeiro, rebelaram-se contra a luz do mundo espiritual que nos expõe à mostra a natureza autêntica, uns diante dos outros, e fugiram de nossas coletividades, asilando-se no vale de sombras geradas por eles mesmos. Aí, na penumbra criada pela força mental que lhes é própria, com o objetivo de se esconderem, dão pasto, em maior ou menor grau, às manifestações da paranoia a que todos se afeiçoam, entregando-se igualmente, em muitos casos, a lastimáveis paixões que procuram debalde saciar, até as raias da loucura.

3.5 — Irmão Cláudio — lembrou Evelina —, o senhor já penetrou nesses sítios, atingindo algum ponto distanciado da orla?

— Já acompanhei diversas caravanas de fraternidade e socorro, utilizando veículos diversos, alcançando praças estabelecidas muito longe de nós...

— E o que viu?

— Cidades, vilarejos, povoações e aldeamentos vários, em cujo seio Espíritos de inteligência cultivada e vigorosa, mas profundamente pervertidos, dominam enormes comunidades de Espíritos menos hábeis no comando das situações; contudo, tão pervertidos, por via de regra, quanto eles mesmos.

Cláudio sorriu e ressalvou:

— Quando digo a palavra "pervertidos", não me proponho a julgar os nossos irmãos transitoriamente encastelados na sombra. Desejo apenas qualificar, para a compreensão de quem chegou recentemente da vida física, a posição desses amigos doentes. Aliás, consideramo-los tão enfermos quanto os nossos irmãos alienados mentais de qualquer hospício da crosta planetária, credores de nosso melhor carinho. E saibamos, com entranhado respeito, que numerosos pais e mães, esposos e esposas, filhos e pessoas amadas de muitos dos companheiros transviados nessas regiões sombrias aí residem, por mero devotamento, na situação de heróis obscuros, em admiráveis apostolados de amor e renúncia, em benefício dos que se enrijecem no erro, de modo a reconduzi-los ao reequilíbrio necessário, preparando-se para as novas reencarnações que os esperam. Esses paladinos da bondade e da paciência parecem escravizados aos infelizes que amam; no entanto, pela cátedra do sacrifício da humildade que esposam, acabam conseguindo prodígios pela força irresistível do exemplo.

A casa singela de Ambrósio já se debuxava a distância, quando Fantini, como quem não desejava perder o fio dos raciocínios em andamento, inquiriu ainda:

— Irmão Cláudio, são geralmente muitos os que são resgatados pela dedicação afetiva daqueles que os tutelam nestes lugares?

— Sem dúvida. Todos os dias, chegam às nossas casas de reajuste pequenos ou grandes magotes dos que aspiram a renovar-se.

— E permanecem na cidade indefinidamente?

— Isso não. Com poucas variantes, demoram-se conosco apenas o tempo preciso ao exame da nova reencarnação, em que regressam aos disfarces da carne, sem os quais, segundo acreditam, não conseguem seguir à frente, nas veredas da regeneração. Entre o cansaço da erraticidade nas sombras da mente e o terror da luz espiritual que confessam não suportar sem longa preparação, suplicam o socorro da Providência Divina e a Divina Providência lhes permite a nova internação na armadura física, na qual se reocultam, lutando pela própria corrigenda e pelo burilamento próprio, encobertos transitoriamente no engenho carnal, que, pouco a pouco, se desgasta, pondo de novo, à mostra, o bem ou o mal que fizeram a si mesmos, no período da encarnação. Obtido o empréstimo do novo corpo, por via de regra junto daqueles que se lhes fizeram cúmplices nos desvarios do pretérito ou que se lhes afinam com o tipo de débitos e resgates consequentes, esses candidatos à recapitulação expiatória do passado imploram medidas contra eles mesmos, seja na escolha de ambiente doméstico em desacordo com os seus ideais ou na formação do futuro corpo de que farão uso, corpo esse que, muitas vezes, desejam seja bloqueado em determinadas funções, prevenindo-se prudentemente contra as tendências inferiores que, em outro tempo, lhes facilitaram a queda.

3.7 — Isso quer dizer que pedem certas cassações em desfavor deles mesmos? — interpôs Fantini com a sua habitual agudeza de raciocínio.

— Sim, cassações. Em vista disso, encontramos na Terra, a cada passo, grandes talentos frustrados para a direção que anelariam imprimir aos próprios destinos... Inteligências vigorosas, desde cedo, barradas na obtenção de quaisquer louros acadêmicos e, por essa razão, detidas em artesanatos obscuros ou encargos singelos, em longa e dolorosa subalternidade, nos quais entesouram humildade e equilíbrio, paz e moderação; artistas contrariados nas mais altas aspirações, arrastando defeitos físicos e inibições outras que lhes obstam temporariamente as manifestações e sob as quais adquirem a reeducação dos próprios impulsos com o respeito necessário para com os sentimentos do próximo; mulheres de profunda capacidade afetiva jungidas a corpos que lhes deprimem a apresentação, aprendendo em terríveis conflitos da alma quanto dói a deserção do lar e o menosprezo aos compromissos da maternidade; homens hábeis e enérgicos, carregando frustrações insidiosas e ocultas que lhes proíbem a euforia orgânica, no estágio físico, de modo a edificarem o espírito de entendimento e caridade, no âmago de si próprios...

A palestra admirável, que valera por aula inesquecível no ânimo dos ouvintes, foi repentinamente interrompida pelo abraço de Ambrósio e Priscila que aguardavam os peregrinos fora das portas.

Saudações, bênçãos, votos, alegrias.

O serviço religioso no lar se revestiu das características do Evangelho em casa, nos domicílios cristãos da Terra.

Havia, porém, ali, naquela tenda simples, valioso trabalho de extensão do apoio espiritual aos amigos sofredores da vizinhança.

Vinte e duas entidades, das quais vinte mulheres e dois homens, tinham vindo do *grande nevoeiro* próximo, a fim de ouvirem a palavra do irmão Cláudio, entremostrando anseios de tranquilidade e transformação.

Desdobraram-se as tarefas nos moldes das reuniões evangélicas do mundo, suplementadas pela conhecida orientação espírita-cristã, portadora da interpretação respeitosa, mas livre, dos ensinamentos do Senhor.

Na fase terminal, passes de reconforto e mensagens de esclarecimento, advertência e ternura.

Ocasiões de serviços repontaram do quadro para Ernesto e Evelina, que, por designação do orientador, suavizaram os padecimentos de duas das irmãs visitantes, a se cobrirem de lágrimas, depois dos comentários ouvidos.

Toda a equipe se dedicava a conversação edificante, às despedidas, acompanhando os frequentadores humildes da sementeira evangélica, fora da casa, quando, emergindo da névoa, compacto grupo de Espíritos zombeteiros e dementados apareceu.

Explodiram impropérios, entremeados de vaias e ditos chulos. Prevenindo, especialmente aos dois recrutas, Cláudio avisou:

— Não se aflijam. A ocorrência é normal...

— Patifes! Sumam, sumam daqui![15] — rugiu um dos atacantes de vozeirão descomunal — não queremos sermões, nem encomendamos conselhos.

Amainando a saraivada de insultos, Cláudio tomou a palavra e falou alto, sem alterar-se:

— Irmãos!... Para aqueles de vós que desejais vida nova com Jesus, somos companheiros mais íntimos desde agora!... Vinde à verdadeira libertação! Unamo-nos em Cristo!...

---

[15] Nota do autor espiritual: Compreendemos a inconveniência das citações pejorativas; entretanto, embora esmaecidas, acreditamos que as reações dos companheiros menos felizes, internados em regiões hospitalares ou purgatoriais, devem comparecer no presente relato, de modo a não fugirmos do encontro com a verdade.

3.9 — Hipócritas!... — reagiu a mesma voz troante, seguida pelas gargalhadas irônicas de muitos — nada temos com Jesus!... Mascarados! Vocês todos são iguais a nós, vestidos na capa de santarrões!... Nós é que podemos chamar vocês para a liberdade!... Larguem as asas de barro!... Anjos cotós! Cães enfeitados!... Vocês são tão humanos quanto nós mesmos!... Se são corajosos, deixem de ser burros velhos no freio da disciplina e venham ser livres como somos!...

Dito isso, a malta avançou sobre o grupo fraterno, mas Cláudio, evidentemente em oração, ergueu a destra e um fio de luz cortou o pequeno espaço que isolava os agressores.

A chusma de infelizes estacou, aterrada. Alguns deles caíram no solo, como que traumatizados por força incoercível, outros resistiram vomitando injúrias, ao passo que outros ainda fugiam em disparada... Todavia, dentre aqueles que se mantinham de pé, um deles, muito jovem, bradou com acento inesquecível:

— Evelina!... Evelina!... É você aqui?... Oh! estou vivo, estamos vivos!... Quero Jesus! Jesus!... Socorro! Socorro!... Quero Jesus!...

Cláudio aquiesceu, compadecido:

— Vinde!... Vinde!...

O moço arrancou-se da quadrilha, seguiu na direção que Cláudio lhe indicava e, em poucos momentos, a senhora Serpa, trêmula e consternada, tinha diante de si Túlio Mancini, aquele mesmo rapaz a quem amara noutro tempo e que, segundo estava convencida, havia descambado nas trevas do suicídio por sua causa.

14
Novos rumos

14.1   A senhora Serpa, extática, não conseguiu articular palavra.
— Evelina!... Evelina!... — gritava o moço como que dementado de júbilo. — Agora!... Agora que vi você, reconheço que estou vivo... Vivo!...

Cláudio considerou a delicadeza do momento e recomendou medidas para que o rapaz fosse abrigado no lar de Ambrósio, até que se lhe providenciasse hospitalização conveniente, de modo a se adaptar ao meio como se impunha.

Depois de passes reconfortantes em que se lhe sossegaram as emoções, Túlio Mancini era conduzido à residência dos modestos amigos que o acolheram alegremente, enquanto o grupo socorrista retornava ao campo doméstico.

Distinto psicólogo, irmão Cláudio se absteve de quaisquer alusões pessoais, a não ser nas frases ligeiras com que notificou a Fantini e à senhora Serpa a possibilidade de reverem o amigo reencontrado no dia seguinte, se o desejassem, prometendo indicar-lhes o endereço preciso, uma vez que esperava situá-lo em dependência de reajuste e descanso, tão logo pudesse avistar alguma das autoridades a cuja orientação se lhe vinculava a obra assistencial.

Ernesto, a seu turno, estimaria ouvir a companheira com respeito ao suicida que lhes fora objeto de tantos comentários, desde a conversação primeira; no entanto, calava-se, observando-a francamente aparvalhada e apoiando-se-lhe ao braço em fundo silêncio. Na cabeça dele, Fantini, pensamentos contraditórios se embaralhavam, sugerindo inquirições sem resposta.

Não era Túlio um suicida? — perguntava-se. Lera bastante material informativo sobre suicidas, além da morte, e acreditava estivessem eles comumente agoniados nas duras penalidades a que se impunham pelo desacato às Leis de Deus.

Por que motivo escapara Mancini às corrigendas a que fazia jus, pervagando à vontade na província de alienados mentais, entre Espíritos rebeldes e vagabundos?

Homem educado, porém, buscou emudecer considerações e perguntas para unicamente reverenciar a perplexidade da amiga que, desde muito, lhe ganhara o coração.

Passo a passo e diálogo a diálogo, a equipe dispersou-se entre saudações de fraternidade e votos de paz.

A sós com Evelina, entretanto, o generoso amigo, para dissipar os pensamentos constrangedores de que a via cercada, sorriu e falou com excelente humor, infundindo-lhe calma e otimismo:

— Excelentíssima senhora Serpa, se alguma dúvida nos restava sobre a morte de nossos corpos físicos que já devem ter desaparecido no bojo da terra, já não nos é possível doravante qualquer incerteza.

Ela diligenciou, em vão, sorrir. Sentia-se esmagada, abatida...

Ernesto redobrou esforços por chamá-la ao reequilíbrio e, depois de larga série de alegações construtivas, rematou:

— Acaso, não temos nós solicitado trabalho? Quem dirá não tenhamos sido induzidos, sem perceber, pelas autoridades daqui, ao achado de hoje? Esse Túlio, que lhe foi, um dia, companheiro de sonhos, será talvez para nós o começo de novos rumos... Uma nova ocupação, um caminho de acesso à elevação espiritual a que nos cabe dar início... Você concordará em que o vemos necessitado de tudo... Aquela voz atormentada, aqueles olhos de doente não nos enganariam. Estamos diante de alguém que solicita atenções imediatas e, a rigor, sendo pessoa de suas relações, é nosso parente próximo. Somos agora os únicos familiares que ele possui.

4.3   Porque a amiga se referisse, de leve, à dor misturada de assombro que a descoberta lhe causara, Fantini voltou ao bom humor do princípio e gracejou, de braços abertos:

— Que esperaria de melhor a senhora Serpa, a fim de trabalhar?

Cravou as mãos na cintura, num gesto que lhe era peculiar, e sublinhou:

— Quanto ao mais, minha querida amiga, lembro aqui a declaração filosófica de um velho companheiro: "Convivei e purificai-vos". Estamos desencarnados e precisamos, como nunca, de burilamento moral. Se a presença de Túlio nos chama ao serviço que nos testará a capacidade de amor ao próximo, não hesitemos abraçar as novas obrigações.

Dias transcorreram até que os dois amigos conseguissem reavistar o rapaz, então suficientemente melhorado, depois dos cuidados recebidos.

Ernesto fitava-o curioso, no primeiro *tête-à-tête*, mas Evelina sentia-se tomada de surpresa e inquietação.

Aquele era Túlio Mancini, mas um Túlio Mancini diferente. Os olhos penetrantes, quando pousados nela, denunciavam sentimentos estranhos. Nem a ela, nem a Fantini passavam despercebidos os propósitos enfermiços a lhe nascerem, ali mesmo, à frente dos dois, sem que o moço se soubesse intimamente visto e analisado.

Sem qualquer impulso intencional, Ernesto e Evelina permutavam impressões, telepaticamente, reconhecendo com mais clareza que lhes era possível conversar pelo idioma do pensamento, de modo espontâneo, principalmente ali, diante de um companheiro que não lhes comungava o mesmo nível de ideias e emoções. Naquele momento, guardavam a convicção de ler na alma de Túlio, como num livro aberto.

14.4

Registrando as afirmações entusiásticas do rapaz, a imaginar-se vivo no mundo físico pelo fato de haver reencontrado a ex-noiva, os dois amigos não se animavam a desmanchar-lhe, de pronto, a ilusão.

— O que mais me espanta é ter aguentado isso aqui, tanto tempo, com o flagelo da dúvida... — suspirou Mancini, aliviado.

A senhora Serpa diligenciou modificar-lhe o curso dos raciocínios, no evidente intuito de prepará-lo para a verdade, e interpôs com bondade:

— De minha parte, o que mais lamentei foi a sua atitude, atirando contra você mesmo, num ato de loucura...

— Eu? Eu?!... Pois você não soube? — redarguiu o moço, admirado — nunca fiz isso!... Tive, é verdade, a fraqueza de pensar, um dia, em matar-me pelo veneno por sua causa, mas, depois, reconheci que você não me desprezava e eu queria, a todo preço, reconquistar a sua afeição. Sucede, porém, que no anseio de colocar-me fora de campo, Caio foi procurar-me, solicitando-me ir com ele ao meu escritório, para consultarmos juntos um livro de Direito Internacional. Porque alegasse urgência, não vacilei em prestar-lhe o favor. Era um feriado e as salas próximas jaziam fechadas. A sós comigo, abandonou os assuntos da profissão e passou a acusar-me. Disse que a minha covardia, recorrendo ao veneno, abalara o amor que existia entre ele e você... Tentei justificar-me... Quando me detinha a considerar a pureza de meu afeto, aquele brutamontes vomitou insultos que não consigo olvidar e, sacando um revólver, me alvejou no peito... Caí no piso e nada mais vi... Acordei, não sei quando, num quarto de hospital e, desde então, vivo enfermo e revoltado, buscando reaver a saúde para ensinar àquele biltre quanto vale a minha vingança...

4.5 Um raio que caísse, ali, sobre os três, não teria arrasado o ânimo da senhora Serpa quanto aquela revelação terrível.

Num átimo, percebeu que Túlio não largara o corpo em arrancada suicida, mas sim constrangido pela arma daquele a quem desposara no mundo, ao mesmo tempo que Fantini, estupefato, concluía que o rapaz fora vítima de um crime desconhecido entre os homens; e fosse porque aflitivos pensamentos de culpa lhe azorragassem o cérebro ou porque notava no moço o anseio indisfarçado de ficar a sós com Evelina, rogou telepaticamente a ela não fizesse o mínimo esforço por trazer Mancini à realidade, e sim tivesse paciência, até que pudessem estabelecer planos de socorro ao moço infeliz.

A senhora Serpa entendeu e Ernesto pediu licença para afastar-se.

Queria pensar, repousar...

Ao demais, informou, era natural que os dois tivessem confidências, de coração para coração.

Mais tarde se reencontrariam.

Embora contrafeita, Evelina aquiesceu.

Quando se voltou, porém, para o ex-noivo, sentiu-se algo desamparada, qual se renteasse com perigos ocultos.

Mancini convidou-a a pequeno passeio pelo parque da instituição que o albergava e, em poucos instantes, ei-los, um ao lado do outro, a passo vagaroso, entre sebes floridas e árvores protetoras, aspirando o vento embalsamado de nutrientes perfumes.

— Evelina — recomeçou ele —, quem é este velho que você está trazendo a tiracolo?

A interpelada mostrou-se penosamente impressionada com a frase agressiva, pronunciada em tom de sarcasmo; no entanto, respondeu, gentil:

— Trata-se de amigo distinto, a quem devo inestimáveis favores.

Ele chasqueou:

— Compreenda que sofri muito para achar você... Agora, não cedo sua companhia a homem algum, mesmo que esse homem fosse seu pai...

Ela se dispunha a revidar, solicitando moderação; todavia, Mancini prosseguiu, eufórico:

— Evelina, tenho um mundo de coisas a saber, a perguntar e a ouvir de você... Não sei, realmente, se tenho estado louco. Onde estamos? Que fazemos?... Entretanto, prefiro falar de você e de mim, unicamente de nós dois...

Nessa altura do diálogo, esbarraram com bonito e pequeno caramanchão, totalmente envolto de trepadeiras.

Túlio, em voz suplicante, implorou fizessem ali uma parada de refazimento. Sentia dores, quando se movimentava em demasia, alegou. Desde o tiro sofrido, não se reconhecia o mesmo. Evelina obedeceu maquinalmente impulsionada pela compaixão.

Acomodaram-se ambos num dos bancos existentes no recinto doce e agreste.

O moço relanceou os olhos, por todos os lados, como a certificar-se de que se viam absolutamente sozinhos e, em seguida, cerrou a única porta da peça, que passou a receber luz e ar através das altas e estreitas janelas que quase se comunicavam com o teto. Voltando-se para a companheira, patenteava no semblante tamanha expressão de sensualidade que a senhora estremeceu.

— Evelina!... Evelina!... — rogou ele, apaixonadamente — você sabe que tenho esperado por este momento de felicidade, em todos estes anos de angústia... Você e eu, juntos!...

E a vida continua... | Capítulo 14

14.7   Ela não foi totalmente insensível ao apelo afetivo daquele homem jovem a quem amara, e enterneceu-se. Relembrou as noites de cochichada ternura, nos parques e nos cinemas, antes de comprometer-se com Serpa. Sim!... Aquele era Mancini, o rapaz que a impressionara tanto! A mesma simpatia e a mesma voz de enamorado acenando-lhe com a renovação do destino. Instintivamente, rememorou as infidelidades do marido, o escárnio revestido de belas palavras que recebera dele tantas vezes em casa e, por um momento, balançou-se-lhe outra vez o coração, entre os dois, qual ocorrera nos tempos do noivado... Túlio estava, agora, diante dela, prometendo-lhe, de novo, um amor ardente e tranquilo... Achou-se como que inebriada pelas considerações que ouvia, mas a consciência vigilante impeliu-a a reajustar-se. Via-se dominada por estranho sentimento que a induzia para ele; no entanto, ao mesmo tempo, algo em Mancini, naquele instante, lhe impunha medo e certa repugnância. Não era ele mais o cavalheiro de outra época. Mostrava-se imponderado, desabrido. Moralmente refeita, Evelina confessava a si mesma que não lhe cabia o direito de ceder a quaisquer sugestões incompatíveis com a sua dignidade feminina. Casara-se. Devia ao esposo lealdade e acatamento. A consciência controlou a sensibilidade. A noção dos compromissos assumidos guardou-lhe a alma nobre e sincera. Impôs-se fortaleza e serenidade, resolvendo permanecer a cavaleiro de emoções que não se justificavam.

Enquanto semelhantes reflexões lhe escaldavam a cabeça, Mancini continuava:

— Deixe-me recostar em seu colo, um momento só!... Evelina, quero sentir o calor de seu coracão... Tenho necessidade de você, qual o sedento quando se aproxima da fonte! Compadeça-se de mim!...

Observando os gestos de desconsideração que ele passara a assumir, a moça tentou recuar e replicou, valorosa:

— Túlio, contenha-se! Não sabe você que desposei Caio, que tenho a responsabilidade de um lar?

— Oh! o infame!... Compreendo que a minha ausência longa terá levado você a desposar aquele canalha, mas isso não fica assim, não...

E, depois de pausar, alguns instantes, prosseguiu para a companheira estarrecida:

— Evelina, sei que você não é indiferente ao que sinto! Vamos!... Diga que me atende!...

Ato contínuo, intentou beijá-la.

Embora possuída de assombro e temor, ela ganhou ânimo e, retrocedendo, reagiu indignada:

— Túlio, que é isto? Estará você louco?

— Tenho pensado em você, dia e noite... Desde que tomei o balaço daquele patife que levarei à cadeia, não tenho mais ninguém na imaginação!... Não se compadece você de mim?

O entono comovedor daquela voz feria-lhe fundo a alma; no entanto, a senhora Serpa objetou, firme:

— Compreendo a sua estima e agradeço a lembrança, mas julga você justo atacar-me assim, desrespeitosamente, quando já lhe falei que tenho um marido e, por isso mesmo, contas a prestar?

Mancini silenciou por momentos; em seguida, exibiu nos olhos esgazeados a perturbação que lhe passou a senhorear os mecanismos da mente, transfigurou o pranto em escárnio e desfez-se numa gargalhada terrível.

— Um marido!... Um marido, aquele crápula!... — zombou. — O povo de onde venho agora, o povo da *terra da liberdade*, tem toda a razão... Entendo, você agora faz parte dos santos, mas eu não sou mascarado. Sou o que sou, um homem com as funções que me são próprias... Quero você e isso a escandaliza? Boa piada!... Você é uma mulher como as outras, você não é melhor do que todas aquelas que conheço na *terra da liberdade*, apenas com a diferença de que você se oculta na capa andrajosa da disciplina...

14.9 — Sim — suspirou Evelina, magoada —, não nego a minha fragilidade humana... Não acredita você, porém, que a disciplina é a melhor maneira de educar-nos e dignificar os nossos sentimentos?

— Ah! Ah! Ah!... — galhofou ele. — Obediência é a camisa de força em que os hipócritas metem os simples, mas você mudará de ideia...

A moça agoniada confiava-se à oração muda, implorando socorro aos poderes da vida maior.

Enquanto isso, o companheiro avançava, mofando:

— Olhe para dentro de você mesma e verificará seu disfarce... Você é um anjo de pé de chumbo, igual aos outros macacos fantasiados que andam por aí. Largue mão disso... Todos somos livres!... Livres filhos da Natureza para fazer o que quisermos!... Proclame a sua independência se não deseja acabar na senzala dos tartufos da sujeição!...

Mancini investiu para ela e estava prestes a agarrá-la, quando alguém providencialmente bateu à porta.

Constrangido embora, Túlio refez-se, de imediato, e foi atender.

O mensageiro declinou para logo a sua condição. Tratava-se de auxiliar do instrutor Ribas e vinha da parte dele, a fim de conduzir a irmã Evelina Serpa ao Instituto de Proteção Espiritual, para a solução de assunto urgente.

A senhora respirou aliviada e percebeu que fora ouvida na silenciosa petição e, enquanto agradecia, em pensamento, o amparo salvador, Túlio, seguido igualmente de perto pelo emissário, voltava à casa de reajuste, onde seria recolhido à cela especial, destinada a serviço de segregação e tratamento.

15
Momentos de análise

15.1 Atendendo à solicitação de Ernesto e Evelina, que ansiavam por esclarecimento no embaraço que a presença de Túlio lhes impunha à cabeça, o instrutor Ribas marcou encontro com eles, de que se valeram pontualmente.

No ambiente acolhedor do Instituto, o amigo lhes ouviu pacientemente as arguições.

Que significa a perturbação do rapaz? Como lograriam os dois, notadamente Evelina, auxiliá-lo corretamente? Ser-lhes-ia lícito rogar ao Instituto alguma informação, quanto às acusações de Mancini contra Caio Serpa? Estariam ambos capazes de assumir responsabilidades para ajudar o moço infeliz?

Após ouvi-los, o orientador repartiu com eles um olhar de brandura e advertiu:

— Vocês já reiteraram diversos pedidos de acesso ao trabalho espiritual; não estranhem se chegou a hora de começar.

Depois de uma pausa, transformada em sorriso:

— Túlio Mancini é o marco de início da obra redentora que abraçam. Investiguem os próprios corações, especialmente nossa irmã Evelina, e verifiquem a pena que as dificuldades dele lhes causam. Onde o amor respira equilíbrio, não há dor de consciência, e não existe dor de consciência sem culpa.

— Oh! Instrutor — clamou a senhora Serpa —, diga, por gentileza, tudo o que devo fazer!

— Falar-lhes-ei como a filhos, porque entre pais e filhos não prevalecem suscetibilidades...

Mudando de tom:

— Irmã Evelina, que sensações foram as suas, vendo-se a sós com o amigo recém-visto?

A moça, que formulara o íntimo propósito de arrostar a verdade, fossem quais fossem as consequências, admitiu:

— Sim, ao rever-me a sós com ele, sem ninguém a observar-nos, como que me detive nas lembranças do passado, quando supunha haver achado nele o homem de minha preferência. Senti-me transportada à juventude, e então...

— E então — o mentor benevolente completou a frase reticenciosa — as suas próprias vibrações lhe encorajaram a agressividade afetiva.

— Entretanto, recordei, às súbitas, os meus compromissos conjugais e contive-me.

— Fez muito bem — contrapesou Ribas —, ainda assim, o seu coração *falou sem palavras*, provocando novas sequências do desajuste emocional de que Mancini foi vítima, na experiência terrestre, em grande parte motivado por suas promessas não cumpridas.

— Oh! Meu Deus!...

— Não se aflija. Somos Espíritos endividados, perante as Leis Divinas, e estamos situados na faixa de expressiva transição, a transição do amor narcisista para o amor desinteressado.

Temos teorias de santificação para o sentimento, mas, na essência, somos, na prática, simples iniciantes. Na esfera dos pensamentos nobres, assimilamos o influxo dos planos gloriosos; todavia, no campo dos impulsos inferiores, carregamos ainda o imenso fardo de desejos deprimentes, que se constituem de vigorosos apelos à retaguarda.

5.3 Impressionado, Fantini aparteou:

— Quer dizer que o homem terrestre...

— É um ser de inteligência refinada pelos poderes que adquiriu na caminhada evolutiva em que se empenha, desde muitos séculos, mas ainda oscilante, de modo geral, entre animalidade e humanização, conquanto os casos particulares de criaturas que já se encaminham da Humanidade para a angelitude. A maioria de nós outros, os Espíritos capitulados na escola da Terra, nos achamos em trânsito da poligamia para a monogamia, com referência à devoção sexual. Decorre daí o impositivo de vigilância sobre nós mesmos, sabendo-se que o sexo é faculdade criativa, nos domínios do corpo e da alma.

Denotando, porém, o propósito de não se afastar do problema específico de Evelina:

— Compreensível, minha irmã, que você houvesse registrado o fenômeno da atração de que dá notícia e muitíssimo justa a continência a que se determinou, exortando o raciocínio claro e responsável a frenar o coração imaturo. Ninguém atingirá o porto da dignidade espontânea, sem viajar, por longo tempo, nas correntes da vida, aprendendo a manejar o leme da disciplina. Embora isso, porém, saibamos debitar a nós próprios os erros que perpetramos, no tocante aos valores afetivos, a fim de saná-los ou resgatá-los em momento oportuno.

— Devo reconhecer minha dívida para com Mancini, hipotecando-lhe noutro tempo tantos votos de felicidade que deixei para ele absolutamente vazios... — suspirou a senhora Serpa, desconsolada.

— Isso mesmo. Túlio terá cometido muitos disparates até agora; no entanto, a sua consciência de mulher não se eximirá, com certeza, aos compromissos que lhe cabem no assunto.

— E de que modo apagar o meu débito?

— Auxiliando-o a limpar as próprias emoções, como se purificam as águas de um poço barrento.

Diante da inquietude que passou a desassossegar a jovem senhora:

— Nada de precipitação, nem de violência. Forçoso aceitar-nos tais quais somos e facear os problemas que nos advenham dos próprios desacertos. Não estudamos para chorar. A irmã está consciente de que cooperou no desastre moral do amigo em análise. Vejamos serenamente o que lhe será possível fazer agora, de maneira a que se reponha na estrada certa.

— Pequenina quanto sou, que conseguiria realizar? — suplicou a moça, humilde.

Ribas recorreu a largo móvel em que se adivinhava complicada peça de arquivo e, sacando uma ficha, explicou que ali jaziam sumariados todos os informes que Evelina prestara em seu primeiro contato com o Instituto. Em seguida, elucidou que, de posse da versão doada por ela mesma, acerca dos acontecimentos que lhe haviam atormentado a existência, ele, Ribas, providenciara a obtenção de conhecimentos complementares, alusivos à senda que ela escolhera trilhar. Viera, assim, a saber que Mancini efetivamente perdera o corpo físico pela ação delituosa de Serpa, que lograra ilaquear[16] as autoridades humanas com um crime perfeito, no qual compusera com habilidade a tese de suicídio. Vítima da desencarnação prematura, perambulara o rapaz, algum tempo, à feição de sonâmbulo, na paisagem terrena que lhe servira de fundo à tragédia, sendo, mais tarde, recolhido, ali mesmo,

---

16 N.E.: Enredar, confundir.

na cidade de regeneração e refazimento em que lhe pesquisavam agora a situação. Aí convalescera por alguns meses; no entanto, a paixão que Evelina lhe insuflara levianamente na alma fizera com que ele fixasse nela e em torno dela os pensamentos. À vista disso, tornara-se arredio ao próprio reerguimento, acabando por fugir no rumo do tenebroso distrito da inteligência desenfreada, onde se relegara, nos últimos anos, a desvarios diversos. Vinculado à moça que lhe acalentara em vão tantos sonhos de ventura e de afeto, viciara-se no território da sombra, desconsiderando a própria respeitabilidade. Retornando àquele pouso de consolação e reequilíbrio, por efeito do reencontro com a criatura que lhe permanecia na mente por eleita inesquecível, fora agraciado com novo ensejo de autorreeducação.

15.5   A senhora Serpa e Ernesto assinalavam, atônitos, a exposição que primava por lógica irretorquível.

Às agoniadas inquirições da interessada, quanto ao comportamento que lhe competia adotar, Ribas aclarou:

— Podemos dizer-lhe, minha irmã, que, por seus méritos indiscutíveis, benfeitores e amigos de que dispõe na Espiritualidade Maior rogaram aos agentes da Divina Justiça não lhe permitissem a desencarnação sem começar o processo de sua reabilitação espiritual na Terra mesmo... Assim é que, por meio da onda mental dos remorsos que lhe ficaram, à face do suposto suicídio de Mancini, você atraiu para o próprio claustro materno o Espírito sofredor de um irmão suicida, sentenciado pela própria consciência a experimentar a provação de um corpo frustrado, de modo a valorizar com mais respeito o divino empréstimo da existência física. Como é fácil de ver, as angústias da maternidade malograda lhe foram extremamente úteis na Terra, por lhe haverem proporcionado ensejo a preciosas reparações.

— Entretanto — mencionou Fantini —, informamo-nos de que Mancini não caiu por si próprio, e sim pela arma do rival.

— Apesar disso — consertou Ribas —, não olvidemos que 15.
o moço empreendeu, antes, a lamentável tentativa, impulsionado pela ação da própria Evelina, dando a Serpa o molde do crime.

Esboçando sorriso benevolente:

— Estamos examinando, entre amigos, a lei de causa e efeito. Compreendamos que a justiça funciona em nós mesmos.

— Mas...

Fantini, admirado, iniciou debalde a tréplica vacilante. Ignorava como entretecer novas dúvidas, ante a conceituação racional que o mentor tranquilamente patenteava.

Foi o próprio Ribas quem retomou o fio das justificações, observando:

— Somos mecanicamente impelidos para pessoas e circunstâncias que se afinem conosco ou com os nossos problemas. Suscitando ideias de autodestruição na mente de um homem cujas atenções granjeara, Evelina transportou-se da irreflexão para o arrependimento, depois de verificar-lhe a derrocada moral numa empresa gorada de suicídio, procurada conscientemente. Apenas aí, coagida pela compunção, nossa irmã percebeu que agira em prejuízo do rapaz de quem obtivera integral confiança, lesando, em consequência, a si própria. Lastimando Mancini, deplorava a si mesma e, nesse estado de emoções negativas, fez-se vaso de uma entidade nas condições em que supunha haver precipitado o moço menos feliz. À vista disso, converteu-se automaticamente em desventurada mãe de um companheiro suicida, no anseio de expiar a própria falta.

Endereçando afetuoso olhar para a senhora Serpa:

— Enunciando inconscientemente o desejo de exculpar-se, o seu propósito alcançou o coração de amigos e benfeitores, no mundo espiritual, que lhe advogaram a concessão da bênção a que já nos referimos. Você padeceu, pois, antes da desencarnação, a pena de que se julgava merecedora, sequiosa que se achava de propiciar a Mancini a supressão do mal que lhe havia causado.

Você não pagou em Túlio o débito em que se viu incursa, mas resgatou essa conta junto a suicida anônimo, tão filho de Deus quanto nós, redimindo-se no foro íntimo, segundo a lei que rege a tranquilidade de consciência. E o irmão desconhecido, ao mesmo tempo que amargou a provação do berço prematuramente inutilizado, começou a ressarcir a dívida que assumira para consigo mesmo, aprendendo quanto custa e como custa o tesouro de um corpo físico, utensílio de aperfeiçoamento e progresso.

5.7   Ernesto e Evelina escutavam, surpresos.

— Cumpre-se a Eterna Justiça no mundo de cada um de nós — rematou o professor. — Deus não nos condena nem nos absolve. O Amor universal está sempre pronto a soerguer-nos, instruir-nos, burilar-nos, elevar-nos, santificar-nos. O destino é a soma de nossos próprios atos, com resultados certos. Devemos sempre a nós mesmos as situações em que se nos enquadra a existência, porquanto recolhemos da vida exatamente o que lhe damos de nós.

— E agora? — interrogou Evelina, espantada.

— As circunstâncias trouxeram-lhe o credor ao ambiente pessoal, porque você, minha irmã, está felizmente em posição de prosseguir no trabalho restaurador.

— Que fazer, meu amigo?

— Se você está realmente disposta a renovar o caminho, chegou o momento de ajudar Mancini a desvencilhar-se das ideias enfermiças que a sua conduta de moça menos responsável lhe instalou na cabeça, tornando-se presentemente para ele em devotada preceptora, a reformular-lhe a visão da vida, no Plano Espiritual.

— Não posso desempenhar, junto dele, o papel de companheira...

Ribas acarinhou-lhe a mão com ternura paterna e apontou:

— Se os erros da mulher não foram perpetrados, na categoria de parceira da vida sexual de um homem, ela não tem a obrigação de ser-lhe a esposa, tão só porque lhe deva essa ou aquela indenização no Reino do Espírito, sucedendo o mesmo ao homem, referentemente à mulher. Não obstante esse princípio, a lei de amor deve efetivar-se, independentemente das formas em que o amor se expresse.

E num tom de enternecimento profundo:

— Aqui mesmo, você pode regenerar o campo emotivo de Túlio e sublimar os seus próprios sentimentos em relação a ele, amparando-o e instruindo-o no grau de mentora maternal. Quase sempre, a recuperação de alguém é uma planta sublime da alma que somente vinga porque a abnegação de outro alguém se dispõe a adubá-la com a proteção da ternura e com o orvalho das lágrimas...

Identificava-se Evelina banhada de esperança; Fantini mergulhou em alta meditação acerca das realidades eternas, e Ribas, pressionado pelo horário que lhe convocava a presença em outros setores, prometeu continuar a esclarecedora conversação, logo lhes surgisse a desejada oportunidade, em momentos seguintes.

16
Trabalho renovador

6.1   Vida nova começou para Evelina e Ernesto, especialmente para Evelina.

Indispensável auxiliar Túlio, abençoá-lo, renová-lo.

Para isso, os dois amigos se matricularam em colégio de estudos preparatórios de mais altas ciências do espírito. Radiantes de esperança e entusiasmo, adquiriam conhecimentos sobre evangelização, reforma íntima, sintonia mental, afeição, agressividade, autocontrole, obsessão, reencarnação.

A fim de conversar construtivamente com aquele que se lhe extraviara à conta pessoal, a senhora Serpa munia-se de instruções com que lhe pudesse ganhar o raciocínio. Competia-lhe o esforço mais grave, desfazer-lhe na mente o quisto de ilusões que ela própria criara. Fantini, contudo, que se compadecera profundamente do rapaz menos feliz, de acordo com avisos do Instituto de Proteção, poderia acompanhá-la a pequena distância, com a obrigação de intervir quando necessário.

No dia marcado para início da tarefa, a subdividir-se em **16.2**
visitas de esclarecimento e enfermagem três vezes por semana,
Ribas seguiu em pessoa os dois obreiros para o refúgio de saúde
mental em que os novos deveres se lhes impunham.

Integrando diminuta comunidade de enfermos da alma, o
jovem Mancini se achava recluso em solitária dependência que
o instrutor informou estar erguida à base de material isolante
contra o impacto de vibrações suscetíveis de agravar-lhe a sede
de companhias menos recomendáveis.

O orientador apresentou ambos os companheiros às autoridades e auxiliares do pouso de reajuste e, tanto Evelina quanto
Ernesto, sob o beneplácito da simpatia geral, puseram mãos à obra.

Túlio acolheu, encantado, a presença da moça e, de começo, reafirmava-lhe os protestos de devoção afetiva em ditirambos[17] de lealdade e ternura.

A senhora Serpa, no entanto, redobrou cautelas emolduradas de carinho, suplicando a inspiração da vida maior, para não
falhar na missão que abraçara.

Os *diálogos terapêuticos* prosseguiam, pontualmente. Apesar
disso, Mancini não se desapegava da paixão que o absorvia, lembrando um barco chumbado ao solo, incapaz de afastar-se do cais.

Principiasse Evelina a preparar clima adequado às lições
e ele choramingava, à maneira de criança doente. Declarava-se
indisposto e inabilitado para o estudo, desconsiderado, ofendido
nos brios próprios. Asseverava-se infenso a qualquer ponderação
filosófica, alegando não sentir inclinação para assuntos de fé. Insistia em reconhecer-se unicamente um *homem-homem*, na definição dele mesmo, e, nessa condição, não queria uma enfermeira
ou preceptora, mesmo solícitas quanto a moça se revelava, e sim
uma companheira, a mulher dos seus sonhos.

---

17 N.E.: Por extensão de sentido, significa exaltação exagerada; bajulação.

16.3 Evelina ouvia pacientemente os remoques e lamentações incessantes, aparando-lhe os golpes e podando-lhe as impressões destrutivas, sempre assistida por Ernesto, que lhe supervisionava os esforços com generosa atenção. Imbuída das responsabilidades que lhe assinalavam agora a vida e sendo criatura profundamente emotiva, a senhora Serpa concentrava-se, de modo constante, no esposo, nele investindo toda a carga de seus potenciais afetivos. Para sentir-se na posição de tutora maternal de Mancini, experimentava a necessidade de ser mais entranhadamente a mulher de Caio. Por essa razão, mentalizava-lhe a imagem, a cada passo, endereçando-lhe em silêncio os seus mais belos pensamentos de amor. É verdade que Serpa não lhe havia sido o consorte ideal. Além disso, sabia-o agora homicida, com refinados recursos de inteligência para ocultar-se. Evelina, porém, humana quanto qualquer ser humano, ponderava, de si para consigo, que ele se fizera criminoso por amá-la. Eliminara a existência de Túlio para disputar-lhe o coração, em agoniado lance afetivo. Aspirava a revê-lo em pessoa, haurir-lhe o calor da presença, a fim de revigorar-se para os embates morais a que se confiava; entretanto, por mais solicitassem permissão para visitar a família terrena, Fantini e ela obtinham regularmente a mesma resposta dos mentores: "muito cedo".

Reconfortavam-se, por isso, com estudo e trabalho.

De vez em vez, o *tête-à-tête* entre ambos. As confidências.

Ernesto falava enternecidamente da esposa Elisa e da filha Celina. Sensibilizado, entretecia no mágico painel da saudade a imagem das duas por espelhos cristalinos de amor, em que se comprazia mirar-se, conquanto a filha o tratasse, muitas vezes, com rebeldia cruel... Decerto que a viúva e a jovem não arrostavam dificuldades materiais de vulto maior. Legara-lhes renda expressiva. Boa casa. Algum dinheiro em mãos honestas a fornecer-lhes pensão sólida e os seguros em que montara a defensiva doméstica.

Mas... ausência? Indagava-se, constantemente, junto da amiga que se lhe transformara em irmã de todas as horas. A ausência, a distância!...

Perdiam-se os dois em conjeturas, prelibando alegrias de reencontro. Achavam-se suficientemente informados de que, entre eles e os amados do mundo, se levantava agora o *muro das vibrações diferentes*. Em vista disso mesmo, não mais lhes seria possível retomar-lhes a atenção como quem volta de uma viagem. Competia-lhes a obrigação da conformidade, perante quaisquer transformações a que se lançassem. Nesse sentido, até ali, haviam registrado as mais diversas narrações de *mortos* que procediam da Terra, desacoroçoados e tristes, ante a impossibilidade de serem vistos, ouvidos, assinalados, tocados pelos parentes. Muitos voltavam consolados e esperançosos, como que libertos de laços e algemas que lhes fossem pesados aos corações, mas outros muitos regressavam desencantados e sorumbáticos, evidenciando pouca disposição para conversar. Referiam-se a amigos e a mudanças radicais na vida caseira, mencionavam desastres e falências na ordem afetiva de almas inolvidáveis. Eles dois, porém, se identificavam otimistas, confiantes. Evelina entusiasmava-se, derramando-se em nobres impressões, diante de Ernesto, atento. Caio, na opinião dela, caíra em deslizes; todavia, reabilitara-se-lhe no conceito de esposa pelo alto gabarito de ternura e abnegação a que se elevara, durante os dias últimos da enfermidade que fora fatal ao corpo físico dela. Em verdade, podia ter sido desleal, durante algum tempo, lá isso podia. Era um homem com as exigências naturais da vida comum e obviamente se distraía, enquanto lhe aguardava a cura e o refazimento; mas à frente da morte, diante da longa separação!... Modificara-se, parecia haver recuperado a condição do noivo, amoroso, terno... E Evelina, ao contemplá-lo com os olhos da imaginação, supunha-o agoniado e infeliz, no anseio de livrar-se da carne, a fim de reacolhê-la nos braços. Antecipava opiniões, enquanto Fantini lhe guardava, com interesse, a doce expectativa. Solenizando alegações, asseverava que Serpa cometera até mesmo a loucura de eliminar a presença de Túlio, no intuito de desposá-la. Fora isso terrível calamidade, fora. No fundo, porém, Evelina mostrava traços inequívocos da vaidade de sentir-se querida. Declarava, resoluta, que tal qual se esforçava por Mancini, desvelar-se-ia, mais tarde, por Serpa. Esmerar-se-ia em ajudá-lo em qualquer reparação que se fizesse precisa.

6.5 Ernesto volvia, então, a biografar-se, contando histórias do lar. Amava a esposa, entranhadamente, e confessava que praticara muitos disparates, quando mais moço, de maneira a preservar a tranquilidade doméstica. E a filha? Celina era uma bênção que lhe acalentara o coração na madureza. Sempre terna, compreensiva, devotada. Sonhara para ela um marido bom, amigo; no entanto, deixara-a aos 22 anos de idade sem casamento à vista. Conquanto a dor de pai, distanciado de casa, depunha na filha a maior confiança. Não lhe temia o futuro. Além de provida com mesada apreciável, lecionava Inglês com mestria. Ganhava dinheiro e sabia guardar.

Mantinham-se, desse modo, sucessivas conversações entre os dois. Sentimentais. Saudosistas.

Passados seis meses de atenção e doutrinação, em benefício de Túlio, Ribas veio examiná-lo em pessoa, segundo promessa havida.

Após verificar a pontualidade e a eficiência de Evelina, por meio de anotações referendadas pelas autoridades orientadoras da casa, penetrou o aposento do enfermo, categorizado para ele como médico em acurada inspeção. Ao primeiro olhar, porém, reconheceu que Mancini apresentava escasso proveito com as lições recebidas.

Apático, denunciava na mente uma ideia central: Evelina. E com Evelina no miolo das mais profundas cogitações, vinham as ideias-satélites: o anseio de transformá-la em objeto de posse única, o tiro de Caio, o desejo de vingança e as escuras alusões da autopiedade.

Ribas não descobria a mais ligeira fresta, naquele coração pesado de angústia, para filtrar um só raio de otimismo e esperança.

Às primeiras manifestações do inquérito afetivo, respondeu ao instrutor, com a tristeza de um doente que se sabe sem cura:

— Qual, doutor, sem Evelina comigo, nada consigo entender. Se ouço Evangelho, penso que ela — ela só — é o anjo capaz de salvar-me; se anoto ensinamentos, acerca de autocontrole, vejo-a no pensamento, como a única alavanca, bastante forte para governar-me; se escuto exortações à fé, acabo querendo-a para meu reconforto exclusivo; se recebo esclarecimentos acerca de obsessão, termino a aula confessando a mim mesmo que, se pudesse, largaria este hospital a fim de persegui-la e tomá-la em meus braços, ainda que para isso devesse caminhar até os derradeiros confins do mundo!...

O mentor sorriu paternal e aconselhou calma, equilíbrio.

— Reflitamos, meu filho, que somos Espíritos Eternos. Urge conservar serenidade, paciência... Felicidade é obra do tempo, com a bênção de Deus.

O rapaz revidou ácido, irreverente. Não pedira, não aceitava conselhos.

Hábil psicólogo, Ribas despediu-se.

À noite, esteve com os amigos e elogiou o trabalho de Evelina. A empresa de reeducação fora efetuada com segurança. Túlio, entretanto, não reagira construtivamente. Mostrava-se abúlico,[18] embutido nas fantasias que estabelecera em prejuízo próprio.

E terminou dizendo para Fantini e a senhora Serpa que o ouviam, atentos:

— Não vejo qualquer interesse para Mancini na permanência aqui. Forçoso envidarmos esforços para que aceite, voluntariamente, a miniaturização.[19]

---

[18] N.E.: Incapaz de tomar decisões voluntárias; sem vontade, indiferente.
[19] Nota do autor espiritual: Miniaturização ou restringimento, no Plano Espiritual, significa estágio preparatório para nova reencarnação.

16.7 — Renascer? — redarguiu Evelina, assustada. — Será preciso tanto?

E Ribas:

— Nosso amigo está mentalmente enfermo, profundamente enfermo, traumatizado, angustiado, fixado... O remédio será começar de novo... Ainda assim, terá dificuldades e desajustes pela frente.

O benévolo mentor não traçou advertências, nem articulou qualquer sugestão. E tanto Ernesto quanto Evelina, enfronhados agora nos imperativos e provas da reencarnação, silenciaram de chofre, pensando, pensando...

17
Assuntos do coração

7.1 Esvaíram-se dez meses sobre a tarefa assistencial de Evelina e Fantini, ao pé de Túlio necessitado, quando os dois solicitaram entendimento com o instrutor Ribas, acerca de problemas que lhes escaldavam o pensamento.

Aspiravam, sobretudo, a rever os parentes no plano físico.

Convertera-se Ernesto num poço de memórias sobre a esposa e a filha; a senhora Serpa não mais suportava as saudades do marido e dos pais. Porque ansiassem pelo retorno, ardiam na sede de informes e explicações.

O orientador acolheu-os com a lhaneza habitual e, após registrar-lhes o pedido de bons ofícios para que lhes fosse obtida a concessão, acentuou, simples:

— Creio que vocês já estejam em condições satisfatórias para a execução do empreendimento. Dedicam-se pontualmente ao trabalho, conhecem agora o que seja reencarnação, autodisciplina, burilamento próprio...

E evidenciando entranhado carinho:

— Algum motivo particular, mais intimamente particular, na petição?

Adiantou-se a moça, acanhada:

— Instrutor, venho experimentando desoladoramente a falta de Caio...

— Esposos que se amam — interferiu Ernesto —, quando distanciados um do outro, fazem-se noivos outra vez... Por que não confessar que também eu ando aflito por abraçar minha velha?

— Caro amigo — aventurou-se Evelina, fixando o mentor de maneira expressiva —, reportando à ligação conjugal, arriscaria uma consulta...

— Diga, filha...

— O senhor não ignora que, em meu primeiro reencontro com Mancini, senti-me, por momentos, a jovem menos responsável que fui, observando-me fortemente atraída para ele. Depois, reagindo, vi-me, de novo, recuando mentalmente para o domínio de Caio, o marido que ficou no plano físico, dando a mim mesma a impressão de que sou um satélite, gravitando entre os dois... Passei a esforçar-me em auxílio de Túlio e, aos poucos, venho reconhecendo que ele não é, absolutamente, o homem que eu desejaria para companheiro... Entretanto, para ajudá-lo e tolerá-lo, presentemente, sinto necessidade de um estímulo...

— O amor a Deus.

— Compreendo hoje que todos respiramos na própria essência de Deus; contudo, o mistério para mim está nisso... Sei que nada conseguimos sem Deus, mas, entre Deus e a obrigação que me cabe cumprir, preciso de alguém que me escore o espírito, que se me erija em apoio, na movimentação do cotidiano, em busca daquele estado de alma que apelidamos por paz interior, euforia ou mesmo felicidade... Esta fome espiritual que me faz pensar dia e noite na reintegração com Caio significará que ele, meu esposo, é realmente o meu amor absoluto? Aquele espírito que será o sol de bênçãos a envolver-me para sempre, quando chegarmos à perfeição?

7.3   Ribas sorriu e filosofou:

— Todos nos destinamos ao amor eterno, no entanto, para alcançar o objetivo supremo, cada qual de nós possui um caminho próprio. Para a maioria das criaturas, o encontro do amor ideal assemelha-se, de algum modo, à procura do ouro nas minas ou de diamante nas catas. É indispensável peneirar o cascalho ou mergulhar as mãos no barro do mundo, a fim de encontrá-lo. Sempre que amamos profundamente alguém, transformamos esse alguém no espelho de nossos próprios sonhos... Passamos a ver-nos na pessoa que se nos transforma em objeto da afeição. Se essa criatura efetivamente nos reflete a alma, o carinho mútuo cresce cada vez mais, assegurando-nos o clima de encorajamento e alegria para a viagem nem sempre fácil da evolução. Nessa hipótese, teremos obtido apoio seguro para a subida do acrisolamento moral... Em caso contrário, a pessoa a que particularmente nos devotamos acaba devolvendo-nos os próprios reflexos, à maneira de um banco que nos restituísse ou estragasse os investimentos por desistência ou incapacidade de zelar por nossos interesses. Então, surgem para nós aquelas posições espirituais que nomeamos por mágoa, desencanto, indiferença, desilusão...

— O senhor desejará talvez afirmar — recordou Fantini — que caminhamos na existência pelas vias da afinidade, de afeição em afeição, até achar aquela afeição inesquecível que se nos levante na vida por chama de amor eterno?

— Sim, mas entendendo-se o conceito de afeição, sem a estreiteza do sexo, uma vez que a ligação esponsalícia, embora sublime, é apenas uma das manifestações do amor em si. Determinado homem ou determinada mulher podem confirmar na esposa ou no esposo a presença do seu tipo ideal; entretanto, talvez prossigam, após o casamento, mais intimamente vinculados ao coração materno ou ao espírito paternal... E, às vezes, somente encontrarão o laço de eleição num dos filhos. Em amor, a afinidade é o que conta...

— Instrutor — enunciou Evelina, impressionada —, e as uniões de suplício, os casamentos infelizes?!...

— Sim, a reencarnação é também recapitulação. Muitos casais no mundo se constituem de espíritos que se reencontram para a consecução de afazeres determinados. A princípio, os sentimentos se lhes justapõem, no setor da afinidade, como as crenas de duas rodas que se completam para fazer funcionar o engenho do matrimônio... Depois, percebem que é imperioso burilar outras peças dessa máquina viva, a fim de que ela produza as bênçãos esperadas. Isso exige compreensão, respeito mútuo, trabalho constante, espírito de sacrifício. Se uma das partes ou ambas as partes se confiam a desentendimento, a obra encetada ou reencetada vem a cair...

— Então? — a pergunta de Evelina pairou no ar, revestida de imensa curiosidade.

— Então, aquele dos cônjuges que lesou o ajuste, ou ambos, conforme as raízes da desunião, devem esperar pela obtenção de novas oportunidades no tempo para a reconstrução do amor que dilapidaram.

— Instrutor, permita-me uma pergunta. A união conjugal de duas criaturas que se amam, quando interrompida pela morte no mundo, pode ser reatada aqui?

Ribas, expressivo:

— Perfeitamente, se os cônjuges realmente se amam...

Fantini aparteou:

— E quando isso não acontece?

— Aquele que ama sinceramente continua trabalhando, *neste lado da vida*, pelo outro que não lhe guarda na Terra a mesma altura de sentimento, aprimorando a obra do amor em outros aspectos, que não o da afetividade esponsalícia.

17.5 A senhora Serpa mostrou o semblante iluminado por bonito sorriso e asseverou, segura de si:

— Isso não me ocorrerá. Tenho hoje motivos para confiar em Caio tanto quanto confio em mim mesma.

— Sua fé — volveu o instrutor — é um retrato de sua sinceridade.

Ernesto fitou demoradamente a companheira e admirou-lhe a ternura da alma boa e ingênua. Desde muito, passara a nutrir por ela entranhado carinho. Nunca a apanhara em qualquer deslize. Sempre compassiva, abnegada. Muitas vezes, surpreendia-se ligado a ela por encantadora atração. Sob que prisma a estimava? Filha, companheira, mãe, irmã? Não conseguiria dizer.

Temendo o mergulho em mais longas divagações, ele, o bom amigo, chasqueou, no intuito claro de desviar o curso dos próprios pensamentos:

— Instrutor Ribas, qual se verifica no caso de nossa irmã, também estou persuadido de que minha esposa espera por mim... Entretanto, se isso não sucede?...

— Se isso não ocorre — e o mentor frisou as palavras com paternal inflexão de bom humor —, você, Fantini, desfrutará, sem dúvida, a possibilidade de auxiliá-la na condição de um amigo fraternal.

— E, nessa hipótese, caber-me-ia o direito de eleger uma nova companheira na vida nova?

— As leis humanas, tanto no plano terrestre quanto aqui, são princípios suscetíveis de alteração e, na essência, não afetam as Leis Divinas. Na moradia dos homens, não existe obrigatoriedade para o estado de viuvez. Conservam-se órfãos de companhia no lar aqueles corações que o desejam. Rompidos os compromissos do casamento com a morte do corpo, o homem ou a mulher permanecem sozinhos quando possuem motivos para isso. Natural aconteça aqui o mesmo. O homem ou a mulher desencarnados guardam insulamento ou não, conforme os propósitos íntimos que alimentem, entendendo-se, porém, que em qualquer posição dispomos de recursos para honorificar o trabalho da edificação do amor puro que acabará imperando, de maneira definitiva, em nossas relações uns com os outros.

Evelina, denotando preocupação no olhar, diligenciou colher maiores conhecimentos:

— Instrutor amigo, o senhor conhece companheiros que não conseguiram consorciar-se aqui?

— Eu sou um deles.

— Alguma razão especial? — esmerilou Fantini.

— Acontece que o amor conjugal, quando se exprime em bases do amor puro, continua vibrando no mesmo diapasão entre dois mundos, sem que a permuta de energias de um cônjuge para outro venha a sofrer solução de continuidade. Minha esposa e eu sempre fomos profundamente unidos. Bastávamo-nos na Terra um ao outro, em matéria de alimento afetivo. Sobrevindo a minha desencarnação, percebi logo que ela e eu continuávamos em plena vinculação mútua, qual se fôssemos partes integrantes de um circuito de forças. Na dedicação espiritual dela, colho meios de continuar em meu aprendizado do amor a todos, ocorrendo-lhe o mesmo.

— Ligação ideal!... regozijou-se Evelina, extática.

Patenteando a ansiedade de que se via presa, no sentido de se reintegrar na ternura do marido distante, comentou reverente:

— Instrutor, noto que há sempre reserva em nossos amigos mais experientes daqui, quando se diz algo sobre a possível desencarnação de pessoas queridas que deixamos na retaguarda... Chego a pensar que isso é assunto proibido entre nós; será mesmo assim?

— Não tanto. À medida que se nos desenvolve a noção de responsabilidade, compreendemos a reencarnação como período de escola. Cada existência está supervisionada por deliberações superiores, muitas vezes insondáveis para nós.

7.7   A interlocutora, denunciando aspirações íntimas, profundas, arriscou:

— Caro amigo, suponhamos que eu venha a reencontrar o esposo mergulhado em saudades iguais às minhas, atormentado, triste... Não me será cabível, nem de leve, encorajá-lo na certeza de que seremos novamente felizes aqui, prometendo-lhe a ventura renovada para além da morte? Digo isso, porquanto não lhe deixei filhos para entreter-lhe a coragem de sofrer, de esperar...

— Fuja de refletir assim. Não temos instrumentos para medir a fidelidade daqueles que amamos, e, ainda que seu marido estivesse agoniado, em tremendo desajuste, por motivo de sua ausência, não saberíamos se a desencarnação lhe traria o remédio adequado. Quem nos dirá que a mais longa demora dele, no corpo físico, não seria a providência desejável, a fim de que se lhe revele com mais segurança? Martelar-lhe na cabeça a ideia da morte significaria, provavelmente, ajudá-lo a reduzir tempo na experiência material; e quem nos afirmará com certeza que ele se sentirá feliz, regressando à vida do espírito, por imposição nossa e não por determinação da natureza, sempre sábia, por refletir os desígnios do Eterno?

— Oh! Meu Deus! — e a senhora Serpa deixou escapar um suspiro de aflição. — Como agir em auxílio do coração que vive no meu?

Ribas respondeu, afetuoso:

— Em muitas ocasiões, quando dizemos que o coração de alguém pulsa em nós, seria mais justo declarar que o nosso coração é que pulsa nesse alguém...

E com inflexão mais carinhosa:

— Dentro de breves dias, você e Fantini poderão viajar, de visita ao ninho doméstico.

Evelina e o companheiro agradeceram felizes. Doce alegria banhou-lhes a alma, de improviso, como se o sentimento se lhes deslocasse das brumas da saudade para brilhar ao sol da esperança, em novo alvorecer.

18
O retorno

8.1 Enfim, a volta.

Ambos, Evelina e Fantini, manifestavam o contentamento de crianças em festa.

A primeira vinda ao lar, após dois anos.

Às despedidas, antes de se incorporarem à reduzida equipe de companheiros que tornariam ao domicílio terrestre em condições iguais às deles, recolheram de Ribas a recomendação:

— Vocês representam nossa cidade, nossos costumes e princípios, portem-se na base do novo entendimento. Se precisarem de auxílio, comuniquem-se conosco pelo fio mental. Um abraço e os votos de felicidade para a viagem.

Quando o veículo pousou rente à Via Anchieta,[20] no ponto em que a estrada se bifurca, descerrando caminho para São Bernardo, o pequeno grupo dispersou-se.

Cada excursionista era um anseio itinerante, cada qual um mundo vivo de saudades.

---
[20] Nota do autor espiritual: Rodovia entre as cidades de Santos e São Paulo.

O dirigente da caravana e responsável pela viatura marcou regresso para o dia seguinte. Que os viajantes se reunissem, ali mesmo, esgotado o prazo de vinte horas.

Nossos amigos respiraram, maravilhados, o vento brando que os saudava. Surpresos. Felizes. Custavam a crer estivessem na entrada de São Paulo.

Embevecidos, contemplaram o céu lavado e imensamente azul do entardecer de maio. Em torno, rajadas de frio neles fixavam recordações de tempos idos. Caminhavam sob fascinante júbilo a lhes povoar o coração.

Era, sim, a cidade para eles familiar, a terra que amavam... Inalavam sofregamente o aroma das flores e sorriam para os ocupantes dos carros que, naquele fim de sábado, desciam para Santos.

Evelina, que trazia a mente e o coração absorvidos pela imagem do esposo, em certo trecho do caminho perfilou-se diante de Ernesto, qual se buscasse nele um grande espelho, e indagou com ternura ingênua que opinião era a dele, na posição de homem, quanto à apresentação dela. Queria estar nas mesmas características de simplicidade e bom gosto com que o marido estimava encontrá-la no refúgio doméstico. Sabia que a situação era outra. Serpa não lhe identificaria a presença, do ponto de vista material, tanto quanto lograria vê-lo; no entanto, ouvira dizer que as pessoas saudosas enxergavam os amados distantes com os olhos da alma, qual se trouxessem um televisor no pensamento. Se Caio tivesse emoções e ideias concentrados nela, certamente lhe registraria os afagos, ainda que para ele tudo não passasse de simples memória.

Ernesto riu-se ao ouvi-la e elogiou-lhe a perspicácia.

Fitou-lhe o penteado e o rosto, pediu reajuste nas dobras do vestido e aprovou os sapatos, à feição de um pai, encorajando a filha para a exibição num baile de debutantes. Depois, acusou-a com graça, asseverando que não lhe toava bem tão alta demonstração de coquetismo.

8.3   A senhora justificou-se, assegurando-se convencida, quanto às preferências do esposo.

Ambos, em suave *tête-à-tête*, já pisavam o bairro do Ipiranga, onde Evelina esperava encontrar o companheiro na mesma casa que lhe fora teatro à ventura. De chofre, eis que se lhe transfere a alegria para a inquietação. À medida que se avizinhava do ninho antigo, oprimia-se-lhe o peito. Mesclava-se-lhe o regozijo com imprevista angústia. E se Caio não estivesse na altura em que ela o situava, amoroso e fiel? A dúvida cravou-se-lhe no espírito, como estilete envenenado que lhe varasse as entranhas.

— Ernesto, você tem alguma intuição quanto ao que nos espera? Imagine você que, justamente agora, estou amedrontada, tenho as pernas bambas...

— Emoção.

— Que mais?

Fantini deitou um olhar de funda gravidade para a companheira e glosou:

— Evelina, você recorda nossas lições para Mancini?

— Como não? Mas que tem isso a ver com o nosso problema?

— Meditemos. Por meses e meses, temos falado a Túlio, você de modo especial, relativamente às coisas da alma... Abnegação, compreensão, serenidade, paciência... Ensinamentos dados e recapitulados, ilações e repetições...

— Sim...

— Você não admite que o instrutor Ribas, com tantas explicações sobre amor e casamento, serviço e espiritualidade, para nós dois, não terá feito o mesmo, em nosso benefício? Não acredita que ele, o dedicado amigo, conversando, às vezes de maneira exaustiva, não estaria sendo para nós um professor, enxergando longe?

— É... É...

— Estejamos preparados para mudanças...

18.

A senhora desconversou. Mudou de assunto. Asseverou-se receosa, algo fatigada. Se possível, aceitaria algum descanso. Não desejava acercar-se do marido com qualquer indício de mal-estar.

Ernesto propôs alguns minutos de repouso nos jardins do museu.[21]

Rumaram para lá, acolhendo-se ao pé de fonte amiga, cujas águas pareciam guardar o poder de asserenar-lhes os pensamentos.

Como que contagiado pelos temores da companheira, Fantini, de repente, acusou-se amuado. No exato instante em que se abeirava da mulher e da filha, esmorecia-lhe o entusiasmo que a romagem lhe causava. Ensimesmou-se. Evelina percebeu e passou a falar de alegria e esperança, encarecendo o mérito das ideias positivas. Assinalava ele as frases de vigorosa confiança a se derramarem no verbo da moça que se lhe fizera irmã e amiga, incapaz de alhear-se da taciturnidade que o acometera de súbito.

A senhora Serpa, discreta, silenciou e, por fim, declarou-se disposta ao trecho final da viagem.

Cavalheiroso, Fantini prometeu assisti-la em seu primeiro contato com o lar. Que ela verificasse o ambiente doméstico. Se tudo lhe respondesse à expectativa otimista, viesse até ele que lhe aguardaria, nos arredores, o aviso conveniente e, então, deixá-la-ia com o esposo, até o dia imediato, enquanto, ao mesmo tempo, se arrancaria para a Vila Mariana, onde contava rever a família.

Evelina concordou; não lhe aprazia ficar a sós, nem lhe prescindia do apoio.

Seis horas da tarde. A moça não mais via o céu paulistano, nem o casario, nem os transeuntes. Coração aos pulos, aproximou-se do lar. Atravessou o pátio de acesso e tateou a porta de entrada que lhe facilitou a passagem. Algo lhe dizia no íntimo

---

[21] Nota do autor espiritual: Museu do Ipiranga, em São Paulo.

que Serpa estava em casa e seguiu à frente. Tremia, assustada. Inspecionou a peça em torno. A sala era a mesma, com pequenas alterações no mobiliário do seu tempo. Ao lado, o estreito escritório do esposo, entremostrando as cortinas abertas. Penetrou aí com a unção de quem avança, passo a passo, pelos recantos de um santuário. Os livros em ordem. De inopino, surgiu-lhe à observação, atalaiada por diminuto vaso de flores, uma foto de mulher. Vasculhou as paredes, buscando o retrato dela própria, segundo velhas lembranças, mas não viu nem sinal. Acusou-se apunhalada por impressões negativas. Turvou-se-lhe o raciocínio. Fora substituída, decerto. Sentia a cólera prestes a explodir-se em crise violenta de lágrimas; no entanto, ganhou forças para rearticular nos próprios ouvidos as palavras do instrutor: "Portem-se na base do novo entendimento".

8.5 Contrafeita, alcançou o interior, surpreendendo pequeno jardim de inverno, que ela mesma instalara junto à copa, e o quadro de amor com que não contava: Serpa e a jovem da fotografia que examinara momentos antes.

Caio acariciava a destra da moça entre as mãos, num gesto de ternura que ela, Evelina, conhecia à saciedade.

Entre revolta e pesar, ensaiou movimento de recuo. Terríveis calafrios lhe agitavam as fibras da alma, qual se estranha lipotimia a subjugasse de todo, anunciando-lhe nova morte. Quis correr e denunciar-se, ao mesmo tempo, gritar e afastar-se, para esconder a imensa dor no peito de Fantini, mas não pôde. Sem ser percebida pelos dois namorados, não teve outro remédio senão se acomodar em cadeira próxima, intentando refazer-se. Inquirições contraditórias lhe subiam à cabeça.

Quem era a desconhecida? A mesma que lhe torturara o espírito, com os bilhetes endereçados a Serpa, adornados com beijos coloridos a carmim? Caio protestara-lhe amor eterno, durante os últimos dias da sua permanência no lar e a que título rompera os votos que ela mantinha por relíquias do coração? A que laços novos ter-se-ia entregue o companheiro? Estaria casado ou se conservava menos responsável, à maneira do homem que brinca com os sentimentos alheios, menosprezando a vida? Que lhe reservava o futuro?

Fitou ambos os circunstantes, francamente assombrada com a indiferença que revelavam diante dela. Pela primeira vez, depois da grande libertação, verificava que os sentidos físicos se enquadravam a limites rigidamente determinados, porquanto Caio e a companheira, muitas vezes, pousavam nela o olhar sem que a vissem; era, no entanto, obrigada a enxergá-los e ouvi-los, como qualquer pessoa terrestre comum, desde que não se arredasse dali.

A senhora Serpa agoniava-se. Apesar do anseio de omitir-se, desertar, a emoção como que lhe interceptava os movimentos.

De alma ferida, notou que o marido dirigia à outra aqueles mesmos olhares de carinho envolvente que lhe haviam pertencido. E mais. Reconheceu o fio de pérolas que lhe fora presente de noivado, oferecido por ele mesmo, enfeitando o colo da rival. Chorou, irritada.

Evelina, no entanto, embora trouxesse os pensamentos conflagrados, não mais lograva desfazer-se da sutil vinculação com ensinamentos da cidade espiritual que passara a se lhe erguer em residência. Por isso mesmo, percebia-se analisada no aproveitamento das lições que aprendera ao contato de Ribas e de outros amigos da vida maior. Lembrou-se de Túlio, a quem tão repetidamente ensinara o desapego afetivo, e admitiu-se em condições de egoísmo e inconformidade, talvez muito piores que as dele. Recorreu à prece, diligenciou humilhar-se, lutou contra si própria, concluindo que Caio desfrutava o direito de ser feliz como desejasse. Aos poucos, muito aos poucos, conseguiu acalmar-se, de algum modo, e começou a escutar o diálogo que se desdobrava, ativo, rente a ela.

18.7   — Você, Vera — blasonava o advogado, risonho —, achou em mim um homem pacato e sincero, deve orgulhar-se disso.

— E como explica você o caso daquela dama indesejável no escritório?

— Não me venha com ciúmes. Um causídico não seleciona clientes à porta, sou um homem do povo e não posso negar-me.

— Quer dizer que não tenho o direito de zelar por nossas relações...

— Quem falou isso?

— O telefonema que recebi dessa lambisgoia me deixou arrasada; o que ela me disse de você...

— Se dermos atenção a tudo o que se comenta a nosso respeito, a vida seria impraticável.

— Mas eu não estou aguentando mais.

— Ora, ora, aguentando o quê?

A jovem que Serpa designava por Vera caiu em pranto. Ele atraiu-a de encontro ao peito, sob os olhos espantados de Evelina, e sussurrou-lhe aos ouvidos, depois de beijá-la, várias vezes, na face:

— Tolinha! A felicidade não é flor que se adube com lágrimas. Anime-se! Sou seu e você é minha... E daí?

— Se ao menos estivéssemos casados, se ao menos pudesse usar seu nome, saberia como proceder com essas mulheres que infernizam a nossa vida...

— Bobagem!... Você exagera tudo, já disse que caso com você; não sou homem sem palavra...

— Há quanto tempo espero!

— E há quanto tempo, também eu, aguardo solução ao problema de sua casa? Você não há de querer que eu viva carregando uma sogra louca!...

— Minha mãe é uma infeliz, não podemos desampará-la...

— Já falei. Meta essa velha no hospício, que ela já aproveitou a vida dela, agora temos de viver a nossa... Hoje, iremos ao Guarujá, quero ver o negócio por mim mesmo.

A jovem chorava copiosamente por resposta. Enquanto Serpa lhe acarinhava os cabelos, tentando consolá-la, Evelina cobrava ânimo e arrastava-se para fora. Tinha sede da presença de Ernesto, ansiava retomar-lhe a companhia. Impossível demorar-se no lar que reconhecia haver perdido, para sempre.

Balda de autocrítica, à face da superexcitação de que se via possuída, tão logo se viu na rua clamou pelo amigo em voz estentórica, e, quando Fantini repontou à frente, atirou-se-lhe aos braços, qual criança desarvorada.

— Ah! Ernesto, Ernesto!... Não suporto mais!...

O companheiro conduziu-a discretamente para um banco do pátio, compelindo-a a voltar caminho andado e, sentando-a junto dele, escutou a narração de toda a ocorrência que a senhora, amarrotada, fazia entre soluços.

Fantini compadeceu-se, procurando olvidar as próprias apreensões. Não atinava com as razões da ternura que o levava irresistivelmente para a senhora Serpa; no entanto, aquele tempo de graves experiências, vividas por ambos em comum, convertera-o, para ela, num amigo incondicional. Ouvindo-a, compartia-lhe a dor, tomava-lhe o partido. Esquecia-se. Enternecido, esforçou-se por asserená-la, expondo conselheiral:

— Justo que assim seja, Evelina. Caio é jovem. Você e ele não formavam um casal de velhos, qual me acontece com Elisa. Admito que ele terá um lugar no coração particularmente reservado para você, mas decerto experimenta as necessidades do homem comum...

— Mas a moça que está com ele é a mesma Vera que lhe escrevia os bilhetes de meu conhecimento... A mesma!... Isso mostra que ele era infiel antes de nossa separação e prossegue infiel até hoje...

8.9   Ernesto, afagando-lhe a cabeça num gesto paternal:

— Tenho pensado... pensado... Não acredita você que a morte nos entregou a nós mesmos e que Deus nos concedeu benfeitores abnegados, e estes nos ampararam e esclareceram a fim de podermos enfrentar as verdades que hoje estamos vivendo? Que teremos feito da existência no mundo? Um curso de egoísmo ou um aprendizado de abnegação?

A voz dele estava encharcada de pranto íntimo.

— Teria você um esposo para amar ou para converter num objeto de enfeite? Falamos tanto em devotamento, quando jungidos ao corpo terrestre!... Não será depois da morte o tempo mais propício à demonstração de nossas juras? Não haverá chegado o instante em que Serpa mais necessita de consideração e carinho?

Não tanto pelas palavras, mas pelo tom em que foram ditas, viu-se a moça inclinada à piedade.

Na tela da imaginação, começou a julgar o marido sob novo prisma. Caio era um homem jovem e os desígnios do Senhor mantinham-no vinculado ao envoltório físico. De que modo reclamar-lhe um roteiro de austeridade afetiva para o qual se achava ainda tão longe? Estivera reclusa, no mundo espiritual, por dois anos, sem revê-lo sequer. Como criticar-lhe a conduta? E por que hostilizar a menina que o seguia? Não lhe vira as lágrimas de sofrimento, registrando os sarcasmos do esposo irrefletido e volúvel? Acaso, não conseguia enxergá-la, ocupando-lhe o lugar junto dele, recolhendo-lhe a dedicação incompleta e herdando as aflições que ela própria atravessara?!...

Fantini desfez a pausa e arrancou-a da ligeira elucubração, justificando, sensato:

— Evocando as lições de Ribas, concluo de mim para comigo que os nossos instrutores impeliram você, à excursão corrente, para que você aprenda a perdoar e... quem sabe? talvez essa moça...

— Talvez o quê? — objetou Evelina, ante as desmaiadas reticências.

— Talvez essa moça seja a pessoa a quem você deva implorar a graça de ser nova mãe para Túlio. Temos estudado temas complexos de paixão e reequilíbrio, culpa e reencarnação, induzindo-nos a pensar e pensar... Por outro lado, Ribas mostrou-nos as necessidades de Mancini, sem oferecer-nos quaisquer sugestões; no entanto, sabemos que o rapaz está por nossa conta, na presente fase de reajuste, depois de haver perdido o corpo físico pelo tiro de Serpa... Não admite você que Caio deve restituir-lhe a experiência terrena com a devoção e a ternura de um pai? E que melhor ocasião encontrará você, além da de agora, para exercitar os ensinamentos de Jesus, amando aquela que considera inimiga e transformando-a em instrumento de auxílio, em benefício do homem endividado que você ama?

A companheira compreendeu o alcance de semelhantes ponderações e caiu nos braços do amigo, em copioso pranto, exclamando:

— Oh! Ernesto!... Ernesto!...

Alguns instantes mais e um carro despontou da garagem, conduzindo o casal.

Sustando os soluços, Evelina informou ter ouvido que os dois se dirigiriam ao Guarujá.

Enquanto o moço causídico deixou a direção do veículo para atender ao fechamento da casa, Fantini contemplou-lhe a jovem parceira e fez-se lívido. Então, mais profundamente chocado talvez que a senhora Serpa, gaguejou, arrasado de angústia:

— Evelina, Evelina, escute!... Esta moça... Esta moça é Vera Celina, minha filha!...

19
Revisões da vida

19.1   Os dois amigos desencarnados ignoravam como definir a estupefação que os empolgara.

Fantini, desarvorado, recordou-se, num átimo, da casa rústica que possuía na praia, e, sem pestanejar, convidou Evelina a tomarem juntos o carro acolhedor, na poltrona traseira.

Amargas conclusões passaram a dominá-lo.

Então, aquela era a jovem a que tanta vez se reportara a senhora Serpa!... Vera Celina! Sua própria filha!...

O auto começou a deslizar e lágrimas grossas lhe molhavam a face.

A companheira, como a reconfortá-lo sem palavras, segurou-lhe a mão num gesto de carinho. Percebia-lhe a dor de pai. Ele fitou-a pelo véu de pranto e disse apenas:

— Entende como sofro?

— Acalme-se — sussurrou Evelina, compassiva —, somos agora mais irmãos.

Transcorridos alguns momentos sobre a arrancada, os ocupantes da frente iniciaram a troca de impressões quanto a banalidades da marcha, até que um e outro assinalaram mentalmente a influência dos acompanhantes invisíveis.

Lembrando-se, às súbitas, de Evelina, a rival arriscou uma alegação:

— Caio, às vezes cismo indagando de mim mesma se você não é um apaixonado pela memória de sua esposa...

— Eu? Era o que faltava...

— Sempre ouço, a respeito dela, as melhores referências.

— Não era má.

— E você não tem saudades, não a sente no coração?

Caio riu-se e mofou:

— Não tenho vocação para conviver com os mortos.

— Não digo isso. Quero falar de sua mágoa natural ao perdê-la.

— Você sabe que Evelina estava morta para mim, muito antes que o médico lhe atestasse o óbito...

— Em muitas ocasiões, surpreendo-me ao analisar o retrato dela... Aquela fisionomia doce, aqueles olhos grandes e tristes... Impossível que você não houvesse casado por amor!...

— Sim, casei-me por amor; no entanto, a vida tem as suas sequências. Primeiro, a paixão e, muitas vezes, depois... o desinteresse.

— Mas você pode precisar o motivo pelo qual se desencantou?

— Você quer saber?

— Sim.

— Bem, guardava a ambição de ser pai; Evelina, porém, era fraca, doente. Creio que carregava taras de família. Enquanto não abortou, não lhe vi os defeitos... Entretanto, depois que se revelou enferma e incapaz, o laço do casamento se fez para mim pesado demais... Nos últimos tempos da vida, era mulher rezadeira e chorona...

9.3   Ao fim de risada franca:

— O remédio era inventar viagens para estar com você...

A senhora desencarnada apoiava-se mais fortemente em Ernesto, buscando escora para suportar com denodo semelhantes irreverências.

Vera, dando a ideia de quem não desejava descambar para o desrespeito, desviou o rumo da conversação, perguntando:

— Caio, não poderemos, por nossa vez, sonhar com uma casa enriquecida de filhos?

Ele lançou-lhe rápido, mas expressivo olhar, furtado ao volante, e contestou:

— Depende...

— Depende de quê?

— Quanto a casar, sei que nos casaremos, mas pense, Vera. Negócio de criar filhos não é brincadeira. A saúde de sua mãe não me encoraja, aquelas manias, aquelas crises...

Qual se fora sacudido pelos pensamentos do sogro desencarnado a se lhe projetarem na mente, partindo da retaguarda, Serpa contrapôs:

— Que me diz de seu pai?

A jovem perspicaz lembrou-se imediatamente de que o genitor encontrara a morte em condições idênticas às da senhora Serpa, mas, temendo falar nisso, mentiu com intenção, asseverando:

— Meu pai era homem robusto, de saúde impecável, sempre moço; passava, para muita gente, como meu irmão...

— Que lhe teria marcado o fim?

— Operou-se de umas verrugas sem importância e não teve o cuidado preciso. Antes da cicatrização perfeita, começou a cavoucar no jardim, cortou-se e adquiriu a infecção que o levou...

— Tétano?

— Isso mesmo.

— Psiquicamente, como era ele?

— Um homem muito inteligente e, às vezes, folgazão qual você mesmo, embora tomasse a vida muito a sério...

— Compreendo que ele terá tido por você uma afeição toda especial. Filha única!...

— Engana-se. Meu pai decerto que me estimava, mas era corretor de muitas atividades, ocupadíssimo, quase sem tempo para a casa... A não ser a criatura providencial, do ponto de vista econômico, que se esmerava para que o dinheiro não nos faltasse, como pai não me lembro de algum dia em que se sentasse ao meu lado para ouvir-me ou aconselhar-me em assuntos do coração... E nos meus casos de menina, bem que necessitei, mas...

— Não dispunha de uma hora ou outra para isso?

— Pelo menos, era o que dizia, nunca pude contar-lhe nem mesmo os meus problemas de colégio...

Fantini escutava, acusando-se humilhado, abatido, a confessar para si próprio que daria quanto lhe fosse possível, a fim de voltar atrás, de modo a ser para a filha o pai afetuoso e vigilante que não buscara ser.

O diálogo, porém, prosseguia:

— Certamente, em compensação, você contou com o carinho materno...

— Também não. Desde cedo, percebi que minha mãe é irritadiça, desanimada. Gosta de estar só e, conquanto não me negue atenção, até hoje manda que eu me decida, em tudo, por mim mesma.

— Ela e seu pai viviam bem?

— Nada disso. Minha mãe, aos meus olhos, sempre pareceu tolerar meu pai, sem amá-lo, embora se esforçasse, diante dele, para mostrar o contrário.

— O infeliz chegava a perceber? — tornou Caio, galhofando.

— Acredito que não.

E a vida continua... | Capítulo 19

9.5   — Como explica você a perturbação da velha, depois que ele se foi? Não será isso a dor de perdê-lo?

— Duvido... Assim que meu pai morreu, ela foi tomada de terrível transformação, como se o odiasse às ocultas. Queimou-lhe os objetos de estima, quebrou-lhe o relógio de bolso, rasgou-lhe os retratos... Imagine!... Nem orações quis por ele... E foi piorando, piorando... Agora, é como sabemos, recusa tratamento, isola-se, fala sozinha, ri, chora, lamenta-se e ameaça o silêncio e a sombra, julgando ver e ouvir os mortos...

— Estranha situação!...

Embora reconfortado pela simpatia de Evelina, Ernesto dava curso às lágrimas. Guardava os apontamentos da filha, qual se a desconhecesse até então. Verdade que não fora homem de explosões afetivas; entretanto, nem de leve supunha fosse detestado no lar. Teria a jovem razão? Por que se teriam alterado as faculdades mentais de Elisa? Que haveria ocorrido naquele longo pedaço de ausência?

Enquanto os dois desencarnados se identificavam sob rigorosa análise naquele retrospecto, esvaiu-se o tempo e o carro fez parada no ponto terminal: a casa singela, docemente iluminada dentro da noite.

Excitado, mas cauteloso, Fantini instalou Evelina em sítio vizinho, uma vez que, assim como sucedera com ela própria, expressou o desejo de consultar, a sós, o ambiente doméstico. Depois disso, decidiria quanto à viabilidade de colocá-la na rota familiar. A posição de Vera, junto de Serpa, não lhes encorajava, de imediato, um avanço a dois.

Evelina concordou. Aproveitaria o ensejo para orar, refletir...

Fantini, emocionado, penetrou o reduto que lhe falava tão alto à memória.

Na sala, tudo como deixara. A mesa e as cadeiras surradas que ele mesmo trouxera da residência de Vila Mariana, os apetrechos de pesca, o armário de louça velha, os quadros humildes a penderem das paredes... Registrou, em pranto de comoção, o calor de outro tempo... A pequena distância, enxergava o dormitório da filha, em que ela e o advogado se entregavam a animada conversação, mas, ali, a dois passos, rente a ele, quase tateava o aposento em que tantas vezes repousara, ao lado da companheira, aspirando as aragens marinhas...

O relógio marcava alguns minutos além das nove da noite. Que surpreenderia por trás da porta cerrada? — indagava-se inquieto. — Elisa doente? Desanimada?

Rememorou as lições recolhidas de amigos, na moradia espiritual de que chegava refeito para facear quaisquer surpresas, e orou. Pediu forças à Divina Providência. Queria rever a esposa, com distinção e dignidade. As alegações da filha, no automóvel, ditavam-lhe prudência, atenção. Achava-se ali, não para queixar-se, e sim para agradecer, ajudar, querer bem. Ansiava servir.

Com essa disposição, transpôs o limiar e encontrou-se dentro da câmara, que conhecia em todos os escaninhos.

Jamais faria ideia do quadro que se lhe abriu, de imediato, à visão.

Elisa descansava... O corpo magro, o rosto mais profusamente vincado de rugas e os cabelos mais grisalhos... No entanto, junto dela, estirava-se um homem desencarnado, aquele mesmo sobre o qual atirara, tantos anos antes, ao desvairar-se pelo ciúme!... Estacou, aterrado... Num átimo, recordou a última caçada que empreendera, integrando uma equipe de três companheiros, e na qual adquirira o remorso e o sofrimento que lhe haviam acompanhado grande parte da vida... Sim, aquele homem sem corpo físico era Dedé, o colega de sua meninice, ou melhor, Desidério dos Santos, o assassinado, cuja sombra supunha ele haver removido para sempre da própria casa. Acusou-se ralado de arrependimento, transido de angústia... Como arrostar o adversário, a injuriá-lo no próprio tálamo?

9.7   Fantini chorava para dentro de si, ralado de desespero. Motivos ponderosos tinha Ribas, o instrutor, delongando-lhe a volta. Horas antes descobrira na filha a rival de Evelina, e ali, diante dele, ao pé de Elisa, se estendia o inimigo triunfante, dominador...

Aguentaria com êxito os desafios que a vida lhe propunha, depois da morte? Decerto rentearia, por fim, com o homem que não suportava. Ambos desencarnados se defrontariam agora, quais estavam, tais quais eram.

Diligenciou Fantini asserenar-se e estugou um passo adiante. O antagonista, em silêncio, deitou-lhe um olhar sarcástico, ostentando a tranquilidade de quem se sabia num momento esperado, mas, com estupefação para ele, Ernesto, a esposa anotou-lhe a presença e desferiu grito terrível:

— Maldito!... Maldito!... — rugiu ela, positivamente obsidiada, na penumbra do quarto, que o luar filtrado pela vidraça fracamente alumiava. — Fora daqui, Tinhoso!... Fora daqui, assassino!... Assassino!... Socorro, Dedé!... Socorro, Dedé! Leva este infame para fora! Sai, Ernesto! Sai! Matador!... Matador!...

Entrementes, Caio e Vera invadiram a peça, terrificados.

Fez-se luz forte.

A jovem acercou-se da genitora que bradava impropérios, segurando a própria cabeça entre as mãos, num esgar de espanto, e tentou consolá-la:

— Mãezinha, que há? Estamos aqui, não precisa temer...

— Ah! minha filha!... Minha filha! — a enferma soluçou. — É seu pai, aquele infeliz!...

Agarrou-se à moça, qual criança assustada, e esticou o clamor, dando a Serpa a impressão de uma alienada mental, no mais fundo desequilíbrio.

— Seu pai está aqui, aquele canalha! Não quero vê-lo!... Defenda-me pelo amor de Deus! Voltemos para São Paulo, hoje mesmo!... Tire-me daqui!...

Dos olhos tristes de Ernesto, o pranto jorrou em maré de angústia. Tantas vezes acariciara projetos de reencontro!... Tantas vezes imaginara-se pássaro distante do ninho, faminto de repouso na úsnea[22] tépida!... Entretanto, chegava até ali, na condição do hóspede indesejável, abominado pelos seus...

— Elisa! — implorou.

A conturbada esposa, que trazia as faculdades psíquicas desordenadas, não lhe lobrigava a figura espiritual, depois que a luz mais viva se derramou no ambiente; no entanto, assinalava-lhe a voz comovida e firme, a repetir suplicante:

— Elisa! Elisa, ouve!... Eu sempre te amei...

Estabeleceu-se a conversação entre os dois, sem que a filha e o namorado conseguissem ouvir senão metade.

— Cala-te, infame! Recuso uma afeição que sempre detestei.

— Por que te alteraste assim?

— Sou hoje livre para dizer o que me vem à cabeça.

— Mas quando juntos...

— Eu era a escrava algemada ao senhor...

— Entretanto, sempre afirmaste que me querias bem.

— Sempre te desprezei, isto sim...

— Oh! Meu Deus!...

— Quem fala em Deus? Um assassino...

— Por que tanta crueldade?

— Dedé me falou que não passas de um matador!

Nessa altura do diálogo, profundamente estranho para os dois ouvintes reencarnados que o acompanhavam pelo meio, Serpa inquietou-se e, confessando-se incomodado ante o delírio da enferma, passou a esquadrinhar a casa, em busca de medicação que lhe sedasse os nervos.

---

[22] N.E.: Gênero de liquens que vivem na casca das árvores e por vezes em pedras.

9.9   O entendimento, contudo, entre a obsidiada e o marido prosseguiu sem pausa.

— Ouve, Elisa — mendigou Fantini, em pranto — não nego haver cometido grandes erros, mas invariavelmente por tua causa, pelo extremado apego ao teu carinho!...

— Balela! — gargalhou a interlocutora, entre a ironia e a demência. — Desde que arrasaste Dedé, passei a gostar dele... A qualquer momento a que vinhas em casa, isso acontecia sempre para infelicidade nossa, porque vivíamos juntos aqui, antes de tua morte, e vivemos juntos depois... Olha este quarto! Dedé está no lugar onde sempre esteve!...

Semelhantes declarações foram suplementadas de informes, sobre os quais pede a caridade se faça silêncio.

Ernesto chorava, ao passo que, defronte dele, o adversário desencarnado sorria, escarnecedor.

Nesse ínterim, o advogado surgiu trazendo a injeção calmante com que Vera socorreu a doente agitada.

Daí a instantes, a senhora Fantini atirou-se ao travesseiro, desfigurada, abatida.

E justamente quando Ernesto transpunha a porta em retirada, Desidério dos Santos, o inimigo, saltou do leito em que jazia parado e tomou-lhe a frente, desferindo brados terríveis...

20
Trama desvendada

— Patife!... Celerado!... — vociferou o agressor. — Você não se afastará sem contas!...

Plantou-se à frente de Ernesto e, barrando-lhe o passo:

— Você acreditava que era só acabar comigo, hein? Fique sabendo que, intentando privar-me do corpo, não obteve outra coisa senão colocar-me em sua própria casa... Vivo aqui, moro aqui e sua mulher me pertence!...

Fantini, de sentimento apurado, qual se achava, depois de tantas refregas, implorou:

— Ó! Desidério! Estou arrependido, perdoe-me!...

— Perdoar? Isso nunca. Estou longe do fim. Vocês me pagarão, ceitil por ceitil... Miseráveis!... Vocês ocultam aí na Terra o sangue do crime na capa do arrependimento e julgam que conseguem lavá-lo com lágrimas falsas...

Zombeteando:

— Ninguém morre. Vocês, bandidos, que burlam a justiça do mundo, serão punidos pela Justiça Divina!... E a Justiça

Divina, em meu caso, sou eu mesmo... Espírito vingador, sim... Sou... E quem me contestará esse direito?

A superexcitação do desventurado provocava nele mesmo o corrompido pranto do ódio, e era igualmente chorando que profligava:

— Cretinos delinquentes!... Perdi a existência, meu lar, minha esposa, minha filha... E vocês esperam de mim um prêmio à crueldade com que me aniquilaram!... Então, vocês exterminam um homem e exigem que esse homem lhes beije as mãos? Abusam da impunidade com que a terra do sepulcro lhes cobre os atos perversos e ainda reclamam o louvor das vítimas tombadas indefesas?!...

Ernesto soluçava...

Ajoelhou-se, de mãos postas, diante do vencido de outro tempo, em sinal de humildade... Ah! se soubesse que amargas provações lhe combaliriam a alma, nunca teria empreendido o retorno a casa. Saberia tolerar as cruciantes saudades da esposa e da filha, acomodando-se a outros climas de luta!... Entretanto, em dois anos de meditação e de estudo, aprendera que cada espírito recebe da vida, nas Leis de Deus, segundo as próprias obras. Certificara-se de que criatura alguma logra desertar da própria consciência e que chega invariavelmente para o culpado o dia da expiação e do reajuste. À face disso, recorria, intimamente, ao apoio da prece, suplicando a Jesus lhe revigorasse os ombros para carregar a cruz que ele mesmo talhara com os próprios erros.

À medida que ele se mantinha de joelhos, flectidos na areia da entrada, fitando o céu fulgente de estrelas, Desidério continuava:

— Covarde!... Levante-se para enfrentar as consequências de sua falta... Somos agora dois homens, nas mesmas condições, sem a máscara do corpo, qual você me quis, há mais de vinte anos!... Onde estão agora sua prosápia, seu sorriso de mentira, sua arma frouxa?

— Ó! Desidério, eu não sabia!...

20.3

— Pois saiba, canalha matador, que estou vivo!...

— Sim, sei... — gemeu Fantini, com estertoroso esgar — e rogo a Deus me perdoe pelo mal que lhe fiz...

— Se Deus existe, estará de meu lado... Você não pode invocar o nome de Deus para acobertar-se...

— Reconheço... mas imploro a você, Desidério...

A frase, porém, desfaleceu na garganta que a dor sufocava.

— Implora o quê?

— Perdoe-me pelo amor que você tem a Elisa e que Elisa lhe tem!... Ignorava que minha esposa o amasse tanto!... Sou um réprobo, bem o sinto; entretanto, fiz-me criminoso por muito amar a esposa que o Céu me tinha dado!...

O frio interlocutor pareceu comover-se, diante daquele testemunho de abnegação e humildade, mas, retornando à dureza em que se caracterizava:

— Por que não escolheu outro processo para remover-me do caminho? Adotando a violência, nada mais conseguiu senão atirar-me mais intensivamente para os braços de sua mulher... E, enquanto você viveu nesta casa, após acreditar-me morto, partilhei sua mesa e sua vida... Você supunha surpreender-me com os olhos da imaginação, na tela do remorso, mas via realmente a mim, a mim mesmo, Desidério dos Santos, com os olhos da mente, no espelho da consciência... Hoje, chamam-me os amigos, sem corpo terrestre, de Espírito obsessor... Que mais posso ser? Sou quem sou, o homem ultrajado, o empreiteiro de minha própria vingança!...

— Oh! Deus de Misericórdia — lamentou-se Ernesto —, sou o culpado, o único responsável...

Nesse trecho do diálogo, o amargurado perseguidor desferiu ruidosa gargalhada e refutou:

— Não, não!... Você não é o único... Você fez a ideia e o modelo do crime que me arredou da existência física, mas o verdadeiro homicida, aquele que se valeu de sua maldade para destruir-me, foi outro... Ignoro a razão, mas tenho o destino entre verdugos!... Você disparou o tiro contra mim, no intuito de afastar-me de sua esposa, e Amâncio, aquele canalha, observando que você errara o alvo, aproveitou a ocasião a fim de eliminar-me e apossar-se da minha esposa!... Amigos tenebrosos, companheiros satânicos, quem os reuniu naquela terrível manhã, à feição de dois monstros, para liquidarem comigo?!...

Recolhendo a revelação, não obstante o sofrimento que lhe revolvia as entranhas da alma, Ernesto rememorou o dia funesto em que ele e os dois companheiros se entregaram à busca de codornas. Desidério, alegre e confiante, Amâncio preocupado com os dois cães especializados na descoberta e no levantamento das presas, e ele, Fantini, ensimesmado, arquitetando o delito. Recordou que Amâncio se esmerava em conduzir os cachorros, absolutamente entretido com os possíveis resultados da empresa... Depois de algumas pequenas incursões pela mataria, com balázios[23] infrutíferos, Desidério escalara um tronco de árvore velha e cravara-se entre galhos robustos, de espingarda na mira das aves em voo... Amâncio, de um lado, e ele, Ernesto, de outro, com reduzidas distâncias entre si. Ao ver Desidério sondando atentamente um dos pássaros que planava ainda longe, disparara contra ele e recuara espavorido, a ocultar-se no mundo verde, esperando os efeitos do gesto infeliz. Não percebera qualquer grito, mas sim outros tiros que atribuiu, como era óbvio, à arma de Amâncio em ação de caça. Decorridos nada mais que dois a três minutos, escutara os brados do companheiro, clamando por socorro... Alarmara-se, agoniara-se; todavia, arrastou-se quase até ao local em que o corpo de Desidério se retorcia no fim... Transtornado, não conseguia mentalizar coisa alguma que não fosse o

---

[23] N.E.: Tiro de bala.

próprio terror, diante do erro cometido, e por isso, aceitou com alívio a versão imediata do amigo que anunciava em alta voz: "Acidente horrível!... Acidente horrível!...". Acidente!... Não era aquela a suposição ideal para inocentar-se? O parceiro caçador dirigiu-lhe estranho olhar, como quem o responsabilizava sem palavras pela ocorrência, ao mesmo tempo que lhe propiciava mostras de compreensão e simpatia... De chofre, lembrou-se de como o projétil lograra penetrar sob a mandíbula, ganhando a região cerebral, o que lhe causara enorme estranheza; no entanto, as circunstâncias não lhe permitiam quaisquer averiguações... Aprovara a confusão que o favorecia e como que suavizara a dor da própria consciência ao ver que populares amigos compareciam junto dele, em pequenos grupos, admitindo a tese de desastre casual para o calamitoso acontecimento. Omitira deliberadamente todas as dúvidas suscetíveis de impeli-lo à confissão do próprio delito. E, de alma opressa, recordou-se de que, após o enterro da vítima, desligara-se para sempre de Amâncio, a pretexto de desgosto, e se empenhara, com todas as forças de que dispunha, a olvidar a esposa e a filha pequenina do assassinado, cujos gritos, no dia inesquecível, lhe haviam conturbado o coração, convencido qual se achava de que fora ele o réu único...

Transido de assombro, Ernesto verificava que todas as cenas da tragédia se lhe reconstituíam na delicada película da memória, em apenas segundos, e Desidério, como quem o via nos lances mais íntimos daquela desesperada retrospecção, insistia implacável:

— Lembre-se, miserável!... Lembre-se de como vocês dois, cínicos matadores, me eliminaram... Como afastar-me do corpo inerte, sem detestá-los? Enlouquecido de sofrimento e revolta, recusei, enojado, os braços piedosos de enfermeiros que me buscaram para que outras terras, não sei... Já que outra vida me surpreendia, depois da morte, não a desejava se não para a desforra... Ainda assim, você não me encontra mais na furiosa aversão dos primeiros tempos, conquanto meu ódio ainda tenha suficientes reservas de fogo e fel para despejar-lhe no Espírito!... Avalanchas de provação se abateram sobre mim; entretanto, você, o suposto homem de bem, receberá agora, no tribunal da sua consciência, por minha vingança máxima, o peso inexorável de minhas acusações!...

Prosseguindo, num misto de crueldade e pranto, nojo e dor: 20.
— Pense no martírio com que me reaproximei, desencarnado, da esposa jovem e da filha ainda tenra, para ver Amâncio, o assassino, senhorear-lhes a existência... Ah! Fantini, acredita você que, a princípio, eu quisesse tanto a sua mulher? Não!... Eu era um homem sem qualquer princípio religioso e, por este motivo, sem qualquer orientação definida. Possuía uma esposa e uma filha que adorava e punha meus olhos sobre Elisa, à maneira de um tolo entusiasmado por ver-se distinguido pelas atenções de tão devotada e distinta mulher... Contudo, em vez de uma palavra franca de companheiro, capaz de impor-me o lugar justo, você, ralado de ciúme, tentou abater-me como alimária no campo... Com isto, você, Ernesto, me transfigurou numa fera sem a jaula dos ossos. Abominando o invasor de meu lar, pois Amâncio deu-se pressa em desposar Brígida, a moça que eu deixara viúva e inexperiente, eu sentia em meu antigo refúgio caseiro a presença de um inferno que me expulsava... Batido à maneira de um cão escorraçado e sem dono, sem a companheira que me retirou da lembrança e sem a filha que devia beijar meu algoz por segundo pai, vagueei pelas estradas de ninguém, entre as maltas das trevas, até que me instalei definitivamente ao pé de Elisa, sua mulher, cuja silenciosa ternura me chamava, insistentemente... Aos poucos, do ponto de vista do espírito, ajustei-me a ela, como o pé ao sapato, e passei a amá-la com ardor, porque era ela a única criatura da Terra que me guardava na memória e no coração...

Ante a pausa de Desidério, que se impunha a curto silêncio para repouso, Ernesto quis implorar piedade, mas não pôde; o verbo esmorecera-lhe na garganta asfixiada de desespero, enquanto lhe tremeram todas as fibras da alma, qual condenado ouvindo o próprio libelo, sem possibilidade de qualquer defensiva.

O adversário refizera-se e investia:

— Tudo isso por quê? Porque o remorso deformou a sua vida mental de homem... Você, desde a empreitada ominosa em que perdi meu corpo, andou buscando incessantemente uma fuga impossível... Mergulhou o espírito em negócios e rendas, compromissos e corretagens, viajando e viajando, sem procurar saber se a esposa e a sua própria filha eram almas necessitadas de assistência e carinho! Tudo isso fez de minha afeição por Elisa mais que afeição terrestre!... Obssessor! Oh! sim... Sou... Mas sou também servidor incondicional de quem leva seu nome e aguentou sua frieza de coração... Aprendi com sua mulher a paciência e o silêncio para esperar e esperar... Você soube, algum dia, das enfermidades de sua filha na infância? Conheceu-lhe as duras tentações nos dias primeiros da juventude? Sabe que rapazes insensíveis lhe abusaram da confiança? Por acaso enxergou, alguma vez, as lágrimas ardentes que lhe queimaram o rosto, depois dos pontapés daqueles mesmos jovens desalmados que lhe prometiam lealdade e ternura? Ah! Fantini, Fantini!... Você nunca desceu à faixa de suplícios do seu mundo doméstico, mas eu sei que calvários foram transpostos pela mulher que envelheceu gemendo e pela outra que se desenvolveu chorando!... A que títulos retornou a esta casa? Colher um amor que não plantou? Pedir contas?

Ernesto, quebrado de aflição ante o libelo doloroso, conseguiu balbuciar:

— Oh! Desidério!... Compreendo agora... Perdoe-me!...

O antagonista, cada vez mais excitado pelo martírio moral que patenteava em cada frase, retomou o ímpeto:

— Padeci por sua filha e pela outra, a pequenina que a morte me constrangera a largar... Ilaqueada na boa-fé pelo patife que lhe absorvera a atenção, Brígida concordou em descartar-se de nossa filhinha, situando-a muito cedo em estabelecimentos de ensino, onde, se é verdade que recebeu educação esmerada, curtiu a falta dos pais, qual se fosse enjeitada no berço... O que sofri, Fantini, o que sofri!... Entretanto, minhas agonias não pararam nesses cuidados... Minha infortunada filha, que cresceu triste e moralmente quase desamparada, à míngua da assistência paternal que você e Amâncio lhe furtaram, encontrou a morte, há precisamente dois anos... Impelida pelo padrasto, interessado em livrar-se da responsabilidade de tê-la em custódia, casou-se muito cedo com um celerado que lhe destruiu todos os sonhos... Oh! como trabalhei para evitar-lhe a comunhão com esse homem covarde!... Caminhava incessantemente entre os seus e os meus, esmagado de desespero, dedicando-me a conjurar a tragédia que, afinal, se consumou... Quando fui vê-la morta, junto de companheiros desencarnados, tão sofredores e tão desvalidos quanto eu mesmo, ajoelhei, diante do corpo imóvel que ainda lhe conservava o derradeiro sorriso, e jurei que me vingaria dos três mascarados que a rodeavam, Amâncio, o matador, Brígida, a ingrata, e o detestado genro, cuja presença me enoja!... Em lágrimas, roguei a Deus a graça de ver minha filha libertada do sofrimento físico, a felicidade de ouvir-lhe a voz; entretanto, piedosos enfermeiros espirituais me informaram que ela fora conduzida a estâncias de repouso e que somente me será concedido reencontrá-la quando sanar as chagas de revolta que trago dentro de mim, como se me fosse possível apagar o incêndio de mágoas que me calcina a mente infeliz!... Pobre filha!... Desposou um criminoso, qual se devesse compartilhar o meu destino de Espírito, extraviado... Ah! como extinguir as labaredas da inconformação que me devora? Impossível!...

Ernesto soluçava...

Dando a ideia de quem se propusesse despejar, de uma só vez, todo o fel que portava na alma ulcerada, sobre o desditoso amigo, Desidério prosseguiu:

20.9 — Mas é preciso que você saiba ainda... Ao notar minha filha abatida e enferma pelos desgostos do lar, o marido lançou-se a novas aventuras e veio a conhecer Vera Celina, sua filha, de cuja afeição se apoderou... Então, dominou-a, escravizou-a...

E, articulando gesto expressivo com o dedo indicador, apontou para o interior da casa, acrescentando:

— Este bandido está aí dentro... É Caio Serpa... Ah!... Evelina! Minha filha!... Minha filha!...

Nisso, quando Fantini percebeu toda a trama desvendada, com a enunciação dos nomes de Evelina e do esposo, sentiu como se o cérebro lhe estalasse de angústia. Deslocou-se de um salto e, embora suplicasse a bênção de Jesus e a proteção de Ribas, correu para matagal próximo, entre gritos dificilmente abafados, e rojou-se no solo arenoso da ilha, à maneira de um cão espancado, ganindo de dor.

21
Retorno ao passado

1.1   As advertências de Ribas e a presença de Evelina, a curta distância, foram argumentos que constrangeram Fantini a revigorar no autocontrole.

Finda a longa crise de lágrimas, ante a surpresa que situava a senhora Serpa, em nova posição, no mundo de sua alma, reconhecia-se outro. Sofrera modificações nos mais recônditos mecanismos da mente. A exposição de Desidério, franca e livre, sacudindo-o para reconhecer a extensão de suas próprias fraquezas, abatera-lhe o orgulho; no entanto, clareava-lhe as entranhas do coração para buscar vida nova. Não obstante algo atordoado, soergueu-se do chão e arrastou-se até o local em que a moça o esperava.

Entretinha-se Evelina em amistosa conversação com desencarnados doentes, que visitavam o sítio, sob a vigilância de enfermeiros atentos, em busca das emanações nutrientes do mar. Avistando, porém, o amigo que se aproximava, cambaleante, pôs-se-lhe correndo ao encontro.

— Oh! Ernesto, por que fatigado assim? — exclamou inquieta, ao mesmo tempo que o auxiliava a sentar-se na areia.

Ele não relutou em recolher-lhe o apoio e, tão logo a viu acomodar-se rente, colocou a cabeça entre as mãos, num gesto de quem sentia dificuldade para carregar o pensamento em fogo, e tartamudeou, chorando:

— Ah, Evelina, Evelina!... Concordo agora em que somos dos mortos que não tiveram as orações dos vivos... Ai de mim!... Os corações que eu mais amava se fecharam para sempre com a pedra que decerto me selou os restos físicos... Torno de minha casa como um réprobo!... Oh! Meu Deus!... Meu Deus!...

Empenhou-se a companheira a reconfortá-lo, rememorando a sua própria experiência de horas antes, mas o desolado amigo contraditou em profundo abatimento:

— Não, não!... Você foi vítima de ingratidão, ao passo que recebi a condenação que mereci... Você ganhou o insulto; a mim coube o castigo!...

Ernesto ansiava rebentar-se em notícias do sucedido, confiar-lhe as revelações que passara a senhorear; todavia, escasseavam-lhe as forças. Apenas o pranto a deslizar-lhe em ondas...

Em poucos momentos, no entanto, a perplexidade e a aflição de ambos se viram atenuadas com a vinda do carro voador, que se transportara da Via Anchieta à Praia do Mar Casado,[24] onde se achavam, a fim de conduzi-los a São Paulo.

Ribas escutara as súplicas do pupilo torturado e expedira ordens de caráter urgente para que os dois tutelados do Instituto de Proteção obtivessem imediata cobertura.

Evelina escorou o companheiro e instalou-o no veículo que se alçou a grande altura. Por mais tentasse palestra, não colhia dele senão monossílabos. Fantini silenciara, evidenciando,

---

[24] Nota do autor espiritual: Praia do Guarujá.

porém, pelo olhar triste e esgazeado, o vulcão de sentimentos contraditórios que lhe explodia no peito.

1.3   Alguns minutos de voo e, atendendo-se a instruções de Ribas, foram os dois viajores internados, em departamento de repouso de uma das casas espíritas cristãs, que honorificam a vida paulistana, onde Ernesto começou a receber os cuidados precisos, a fim de desvencilhar-se do trauma de que fora acometido.

Convenientemente amparado, por intermédio de recursos magnéticos, em círculo de oração, acalmou-se para refazimento, sob a assistência da companheira, e, então, rearmonizadas as energias, perguntou ele à amiga, com inflexão de infinita amargura:

— Evelina, seu pai tinha o nome de Desidério dos Santos e seu padrasto é Amâncio Terra?

— Sim. Meu nome inteiro é Evelina dos Santos Serpa.

Ernesto não vacilou. Compreendeu que devia à jovem senhora uma confissão integral da própria vida e transferiu-se da ideia à ação, começando pelas memórias do casamento com Elisa. E, à frente do espanto da companheira, embora pinceladas a traços ligeiros, as cenas do pretérito se desdobraram, uma por uma... A aproximação com Desidério, desde a meninice; o conhecimento superficial com Brígida, com quem se avistara poucas vezes; a amizade com Amâncio, que sempre teimara em se conservar solteiro; as visitas frequentes de Desidério ao seu lar, que ele, Fantini, não retribuía; a atração que o visitante exercia sobre Elisa, a esposa que amara ardentemente; os ciúmes com que os via se abeirarem um do outro; o plano de liquidar o amigo, a quem passara a detestar; o despeito silencioso, que lhe envenenara os sentimentos; a caçada funesta, o tiro intencional que disparara e as outras detonações que ouvira; a morte de Dedé e os remorsos da existência inteira... E, por fim, descreveu, passo a passo, as ocorrências do retorno ao lar, desde o instante em que registrara as afrontas da esposa obsessa até à última declaração de Desidério, que o deixara aniquilado...

Evelina vasculhava inutilmente a cabeça, procurando expressões que lhe patenteassem o assombro. Não que a narrativa a afastasse do amigo, a quem consagrava respeitoso e enternecido amor. Estranhava, sim, o drama complexo de que eram protagonistas, sem saber. Surpreendia-se com os meandros da peça que o grupo representava. A par disso, acusava-se absorvida por extremada compaixão, perante os conflitos íntimos de todos os seus aliados de tragédia familiar, sentindo-se, aliás, dentre eles, a menos atingida pela dor.

Contemplou Ernesto e chorou...

Ao vê-la em silêncio, curtindo dignamente as dolorosas impressões que lhe azorragavam a alma, inquiriu ele, ansioso:

— Você também me acusa?

— Oh! Ernesto, estimamo-nos sempre mais... Sou eu, sua irmã, quem lhe pede perdão por meu pai que tomou sua casa, indevidamente...

E Fantini, mais comovido:

— Não, ele nada furtou... Protegeu a mulher e a filha que desprezei... E se falamos de escusas, sou eu quem roga tolerância para minha filha que se lhe apossou do marido...

— Não, não!... — foi a vez da interlocutora justificar a Jovem. — Estou compreendendo que Vera chegou ao meu caminho por benfeitora, ela propiciou a Caio a segurança que não lhe pude dar...

— Evelina — acentuou o companheiro, um tanto aliviado —, tenho hoje a ideia de que só pela vida depois da morte logramos desmanchar os enganos terríveis que acalentamos na existência terrena.

Ela aprovou e mantiveram-se em doce *tête-à-tête*, quando, por fim, Ernesto conseguiu conciliar o sono, dando-lhe oportunidade para retirar-se, em busca de ligeiro descanso.

Amanhecia...

1.5 No horário estabelecido para a volta, o veículo recolheu-os, de retorno.

A senhora Serpa ardia em desejos de rever o pai; no entanto, o amigo julgava prudente não viesse a fazê-lo sem maior preparação. Ambos se reconheciam melhorados, quase refeitos, tanto assim que em viagem, qual ocorria com os demais passageiros, debatiam temas fundamentais da existência, quais sejam o amor, a reencarnação, o lar, o imperativo do sofrimento...

Reinstalados na estância em que se domiciliavam, continuaram sonhando o futuro. Juntos conversavam. Juntos planeavam.

Não seria mais que desejável o renascimento de Túlio, entre Caio e Vera, cujo matrimônio lhes competia favorecer? Generosa, lembrava-se Evelina do pai sofredor e acentuava, que se pudesse e se as circunstâncias permitissem, estimaria trabalhar igualmente para que o genitor revoltado aceitasse a reencarnação, a fim de esquecer, esquecer...

Ela e Fantini maravilhavam-se agora de como queriam tempo e mais tempo para os entes amados no mundo. Orariam por eles. Suplicariam a Deus lhes prolongasse a existência no mundo físico, no interesse da equipe familiar e deles mesmos. A senhora Serpa já imaginava contemplar Mancini no ambiente de Caio, para que se reconciliassem, e Ernesto concordava em que se fazia senhor analisar a conveniência de uma aproximação, entre Amâncio e Desidério, a fim de que lhes fosse concedido transfigurar aversão em simpatia e discórdia em união. Sonhavam, sonhavam.

Decorridos dez dias sobre o primeiro regresso a São Paulo, quando ambos já se admitiam plenamente refeitos, solicitaram audiência com Ribas, de modo a expor-lhe as ideias novas e comentar os acontecimentos havidos.

O mentor acolheu-os com a lhaneza de hábito, ouviu-lhes atenciosamente os projetos; entretanto, com surpresa para os dois visitantes, sintetizou as respostas que ambos preferiam fossem mais longas:

— Meus caros, quando as súplicas de nosso Fantini chegaram até nós, não somente promovemos o socorro preciso como também solicitamos anotações de todos os eventos familiares de que se veem partícipes. Sabemos agora, em documentação adequada, tudo aquilo de que se informaram. Quanto aos nossos deveres de ordem moral, já nos entendemos aqui suficientemente em dilatadas entrevistas. Orientação, possuímos. Como é fácil de entender, alcançamos a faixa da ação plena no trabalho espiritual, que vocês, aliás, reclamaram, por reiteradas vezes.

— Será justo continuar agindo em favor dos nossos? — indagou Ernesto, no sincero propósito de acertar.

— Obrigação, meu amigo, isto é nossa obrigação — declarou Ribas. — Os que conhecem precisam auxiliar os que ignoram e não apenas auxiliar simplesmente, mas auxiliar com muito amor.

— Acaso, ser-nos-á lícito mentalizar reencarnações para Mancini e meu pai, em futuro próximo? — abalançou-se a dizer Evelina, tímida.

— Como não, minha filha? Para isso, contudo, é indispensável estabelecer dados concretos, com planejamento exato. Sem dúvida, somos uma família só, perante a Divina Providência, e estamos todos interligados, com o dever da assistência mútua. A evolução é a nossa lenta caminhada de retorno para Deus. Os que mais amam vão à frente, traçando caminho aos seus irmãos.

— Estimaríamos alguma indicação, algum conselho para começar — aventou Fantini, evidenciando a preocupação de quem não desejava ser importuno.

O orientador resumiu:

— Estamos com esclarecimentos de dez dias passados. Enviarei observador imparcial ainda hoje a São Paulo, para conhecer as condições gerais dos irmãos implicados no assunto, ao passo que vocês dois, amanhã mesmo, poderão visitar o sul paulista, buscando o necessário contato com os familiares que ainda não puderam rever. De volta, amanhã à noite, entraremos em estudos produtivos, uma vez que disporemos de elementos esclarecedores, atuais e corretos.

1.7   O entendimento foi encerrado.

No dia seguinte, em condução regular da cidade espiritual para o mundo físico, os dois amigos atingiram a cidade, em cujos arredores Amâncio edificara o ninho doméstico.

Seguida por aquele que se lhe fizera irmão e benfeitor inseparável, Evelina transpôs os umbrais da antiga residência.

E foi um doce voltar aos dias da meninice... Parecia-lhe estar regressando sequiosa de afeto ao domicílio solarengo, como nos tempos da juventude, quando se lhe abriam as férias escolares. Além, o pomar farto; aqui, a porteira vestida de trepadeiras silvestres... Mais alguns passos, o pátio enorme, espraiando-se na direção dos largos terreiros de tratamento do café... Apoiando-se no braço do amigo, a moça caminhou até a porta de entrada, sob o império das reminiscências que lhe senhoreavam a alma... Atravessou-a com o enternecimento de quem penetra um local profundamente sagrado ao coração... O mesmo ambiente revestido de paz; a sala de visitas com o velho mobiliário que lhe falava tão alto à lembrança; o relógio de parede que a genitora se orgulhava de haver recebido dos avós; os tapetes em peles dos bracaiás que Amâncio abatera, nos seus áureos tempos de caçador, quando de várias incursões em Mato Grosso; o lustre de cinco lâmpadas a penderem do teto e o piano em que tantas vezes acompanhara, extasiada, os ágeis dedos maternos, nas interpretações de Chopin...

Uma surpresa banhou-a de júbilo. Na parte superior do instrumento, ao lado de esquecidas composições musicais, jazia uma foto que a retratava na juventude e, junto a essa recordação de família, uma rosa desbotada lhe comunicava a ternura materna.

A moça correu para a varanda lateral, em que Amâncio e a esposa costumavam descansar, após as refeições, e ali os encontrou em serena palestra, cada qual em sua poltrona. Então, dominada por indizível emoção, ajoelhou-se diante da genitora, em cujo rosto descobria mais rugas, emolduradas por mais amplas faixas de cabelos brancos e, depondo a cabeça em seus joelhos, chorou convulsivamente como o fazia nas contrariedades e caprichos da infância.

Dona Brígida não lhe registrou a presença, em sentido direto; entretanto, parou o olhar cismarento no arvoredo próximo, sentindo, de súbito, intraduzíveis saudades da filha. Represaram-se-lhe lágrimas que não chegavam a cair... "Que vontade de rever minha querida Evelina!..." E esta, que lhe captava os pensamentos, respondia: "Mamãe! Mãezinha, eu estou aqui!...".

Escoados alguns minutos de silêncio, o dono da casa, que ainda se achava sob a curiosa observação de Ernesto a examinar nele os estragos do tempo, endereçou expressivo olhar à companheira e indagou:

— Por que parou a conversa, meu bem? Pensando em quê?...

Carregava-se-lhe a voz da gentileza característica do homem que não se permite deteriorar a devoção pela mulher depois do casamento, surpreendendo Fantini pela delicadeza com que se vazava.

— Não sei explicar, Amâncio — observou Brígida —, mas venho sentindo imensas saudades de nossa filha... Dois anos de ausência...

E mais concentrada:

— Por que haveria de partir, assim tão cedo?!...

— Tolinha! — objetou o marido com admirável desvelo. — O irremediável pede esquecimento, o passado não volta...

— Creio, porém, que haverá outra vida, na qual se encontrarão os que muito se amaram neste mundo...

E a vida continua... | Capítulo 21

21.9 — Os filósofos dizem isso, mas os homens práticos afirmam, e com razão, que nada se conhece dos finados, além da certidão de óbito...

Nesse momento, Ernesto tateou-lhe a cabeça com uma das mãos, como a pesquisar-lhe as elucubrações imanifestas, e identificou-lhe cravadas na memória as cenas vivas do assassínio de Desidério, profundamente bloqueadas nos escaninhos da mente; no entanto, algo lhe dizia no íntimo que lhe não era lícito convocar o espírito do companheiro a qualquer estado negativo, absolutamente inútil, quando tudo lhe fazia crer que Amâncio se transformara num esteio de trabalho respeitável para famílias numerosas.

Via-o, ali, não somente devotado e terno para com a mulher que lhe fora vítima, porquanto era fácil adivinhar-lhe igualmente a condição de administrador estimado e digno, pelos empregados tranquilos e felizes que se lhe aglomeravam em derredor da casa.

Além disso, pensava, por que haveria de acusá-lo, se ele, Ernesto, apenas não exterminara Desidério por falta de pontaria? Perante Deus e a própria consciência, não seria tão criminoso quanto o amigo que tivera a infelicidade de atingir o alvo?

Semelhantes reflexões escaldavam-lhe a cabeça quando escutou Evelina, que se queixava, em pranto, para o coração materno:

— Oh! mãezinha, sei agora que meu pai erra nas sombras da alma!... Transformou-se num Espírito empedernido no ódio... Que poderemos fazer nós duas para ajudá-lo?

Até aí, a mente de Brígida, profundamente distanciada de qualquer preocupação com o primeiro esposo, nada pôde registrar, em sentido direto, senão doloroso e vago impulso de retorno ao passado, sem permitir que a imagem de Desidério se lhe imiscuísse na lembrança, mas a filha insistiu:

— Auxilie, mãezinha, auxilie meu pai para que volte à vida terrestre!... Quem sabe? A senhora e meu pai Amâncio vivem quase sós nesta casa!... Um menino! Um filho do coração!...

Nesse trecho da súplica filial, a genitora deixou-se empolgar pela ideia de que estavam, ela e o segundo esposo, envelhecendo no corpo físico sem qualquer descendente, e que uma criança perfilhada por eles seria talvez um apoio para o futuro.

Ao contato das palavras de Evelina, os pensamentos da mãe cresceram nessa direção e passou a refletir, refletir... Um menino!... Alguém que lhes povoasse a existência de esperanças novas, alguém que lhes continuasse a sustentação dos ideais de trabalho naquele diminuto recanto de solo!...

Movida pelo entusiasmo da filha que lhe assimilava os pensamentos de adesão ao tema fundamental da mensagem de alma para alma, Brígida sondou o companheiro:

— Amâncio, muitas vezes penso em nossa velhice solitária, com tantas possibilidades em mão... Não concordaria você em que tomássemos um garoto para ser o filho que não temos?

— Que ideia! Em nossa idade?

— Não somos tão velhos...

— Ora, Brígida, era o que faltava! Você não acha esquisito terminarmos a vida fazendo mamadeira para criança?

— E se for o contrário? Deus poderá conceder-nos dilatado tempo ainda na Terra... E se deixássemos aqui um bravo rapaz, que nos administrasse a fazenda, dando continuidade à nossa organização?

— Não tenho o seu otimismo — apontou o marido, com generosidade e carinho a lhe transbordarem da voz —, mas sempre admirei os seus caprichos. Não me oponho aos seus desejos, mas exijo que seja um homenzinho, que venha para cá ao nascer, sem que os pais nos incomodem e que chore pouco... Tudo isso, desde que você nada reclame da trabalheira...

.11 — Oh!... Amâncio, que alegria!...
Ante o júbilo da esposa que se transfigurara, feliz, o interlocutor sentiu misteriosa ventura acariciando-lhe as entranhas do ser. Levantara-se Evelina e avançara para ele, osculando-lhe os cabelos agrisalhados, ao mesmo tempo em que lhe estendia a destra sobre o tórax, qual se lhe afagasse o coração.

22
Bases de novo porvir

2.1   No dia imediato, a conferência com Ribas.

Ernesto e Evelina confiaram-lhe sucinto relatório da visita realizada na véspera, a que o mentor deu ouvidos atentos.

Esmerando-se no aproveitamento das horas, o sábio amigo requisitou um grupo de fichas, alinhadas em arquivo próximo, e iniciou o trabalho mais importante da entrevista, analisando a situação de Túlio Mancini. Considerou que o jovem realmente evidenciava reduzido progresso; entretanto, isso não invalidava o compromisso da senhora Serpa, cujo auxílio junto a ele não devia esmorecer, organizando-se-lhe o renascimento próximo.

Estabelecendo bases para o futuro, ele, Ribas, traçara um programa de ação imediata e mais claramente definida para os dois amigos, em cujo desempenho se lhes aplicassem as forças com a eficiência precisa. Evelina permaneceria, a sós, ao pé de Mancini, continuando a presidir, quanto possível, a renovação mental dele, ao passo que Ernesto se encaminharia diariamente ao plano físico, de maneira a colaborar, no limite de seus recursos, em benefício de Desidério e de Elisa, carecedores de urgente e fraternal socorro.

Entendera-se com diversos diretores de serviço, domiciliados em esferas superiores, e granjeara autoridade suficiente para funcionar na solução dos problemas alusivos aos renascimentos que se fizessem necessários, em favor do reequilíbrio do grupo.

A moça, porém, no registrar-lhe as instruções, raciocinou pesarosa:

— Instrutor Ribas, não me será concedido, então, visitar meu pai e abraçá-lo agora? O senhor compreende as minhas saudades...

— Entendo, sim, mas a condição atual de Desidério não nos aconselha espontaneidade nas atitudes. Para ajudá-lo com segurança, é imperioso examinar previamente as nossas menores manifestações.

— Mesmo as minhas?

— Até mesmo as suas maneiras de filha entram em linha de conta. Aquele rebelde e nobre coração que lhe serviu de pai possui qualidades notáveis, que serão desentranhadas em momento oportuno. Convém, filha, não venhamos a estragar as oportunidades. Paciência...

— Como assim?

— Ele deve reencontrá-la em momento de mais alta compreensão. Fantini assisti-lo-á, diariamente, por meio da palavra edificante, em tarefa idêntica ao apostolado doméstico que a sua dedicação desenvolve no amparo a Mancini, empenhando-se a despertá-lo para as alegrias da Espiritualidade Maior, ao mesmo tempo em que, nesse mister, ambos aprenderão a readquirir o respeito e o afeto mútuos...

Depois de um sorriso amistoso:

— Não é isso mesmo que sucede a você, em relação a Túlio? Evelina aquiesceu compreensiva.

— Isso, entretanto — prolongou-se o mentor —, não obstará sua intervenção nos acontecimentos, quando as circunstâncias no-la sugiram. Você pode e deve efetivamente rever seu pai terrestre; no entanto, a sua influência filial, a nosso ver, precisa ser usada em favor dele mesmo...

A senhora calou-se e Fantini aparteou:

— Instrutor, se não sou importuno, estimaria saber se o mensageiro de sua confiança inspecionou a situação de nossos companheiros na residência do Guarujá...

— Sim, mas não foram achados ali. Estão em São Paulo.

— Na casa de Vila Mariana?

— Caio e Vera, sim...

— E Elisa?

— Há precisamente seis dias foi internada para tratamento numa clínica de saúde mental.

— Meu Deus!... Como as coisas se modificam!...

Instada por Serpa, a filha assumiu responsabilidades e a doente não pôde resistir. As notícias recebidas, no entanto, destacam enorme gravidade nos prognósticos, quanto à nova posição orgânica de Elisa. Sou constrangido a comunicar-lhes que a enferma piorou muito, quanto ao processo obsessivo de que é vítima, e, à face dos recursos circulatórios precários, surgiu-lhe uma trombose cerebral progressiva, indicando desencarnação próxima. Tudo isso, após terrível desgosto...

— Que desgosto? — interpelou Fantini, atônito.

O instrutor, imperturbável:

— Averiguamos que Serpa, de algumas semanas para cá, pressionou Vera para que se retirasse da genitora a faculdade de dirigir os próprios negócios. Advogado de muitas relações, muniu-se de influências diversas e, assim que convenceu a futura sogra a hospitalizar-se para tratamento, assegurando não passaria de dois a três dias, obteve, com as certidões devidas, o despacho da autoridade competente, favorável aos seus propósitos. E apresentou esses propósitos aos amigos, em todas as providências, como se fossem da jovem a quem promete desposar. Claro que o choque para Elisa foi algo muito doloroso, ao reconhecer, na instituição de saúde em que se encontra, a impossibilidade de mobilizar os seus recursos econômicos. Isso porque, apesar de obsessa, está perfeitamente lúcida. Para nós, é a criatura de mediunidade torturada, com fenômenos psíquicos por agora incompreensíveis a quantos lhe desfrutam a convivência... Para Serpa e Vera, é um caso de senilidade precoce...

— Caio, então, agora...

A frase hesitante de Ernesto esmoreceu-lhe na boca.

Ribas, no entanto, completou-a:

— É o procurador de nossa doente e da filha, com poderes legais para manejar-lhes todos os bens...

Ante os dois interlocutores espantados:

— À vista dos fatos e admitindo o imperativo de nosso entendimento tão arejado quanto possível, é forçoso informar você, Fantini, de que os seus terrenos em Santos já foram vendidos, anteontem, conforme resoluções de Serpa, que se investiu na posse de alguns milhões de cruzeiros, a título de corretagem. Não digo isso como quem julga o comportamento menos feliz de um companheiro, mas sim porque necessitamos planejar o futuro, com a obrigação de nos determos em minudências mesmo indesejáveis...

— Que ladrão!... — o grito acusativo de Ernesto vibrou insopitado.

— Meu Deus!... Mais uma vez, Caio, malfeitor?!

Ribas fixou um gesto de paternal benevolência e opôs a contradita:

— Evitemos a crueldade, fujamos de qualquer violência. Indispensável envolver Serpa e Vera em ondas de nossa melhor simpatia.

— Por quê? — bradou Fantini, desolado.

2.5   — Vocês não devem esquecer que os dois, na equipe doméstica, são amigos providenciais. Se vocês operarem com segurança, no apoio afetivo de que Caio não prescinde, esposará Vera e será o pai de Mancini na existência próxima. Sem dúvida, agindo assim, resgatará o débito que lhe é próprio, porquanto, havendo subtraído Túlio à vida física, é obrigado a restituir-lhe esse mesmo patrimônio, segundo os princípios de causa e efeito. Além disso, porém, tranquilizará Evelina, encarregando-se no mundo da reeducação de um Espírito, cujo destrambelho emotivo tanto trabalho vem custando à nossa amiga.

— Entendo tudo isso, mas... — abalançava-se Fantini a interpor argumento menos favorável, que Ribas cortou, esclarecendo:

— Sei, Fantini, o que você pensa. Você, apegado ainda à família consanguínea que o Senhor lhe emprestou na Terra, reconhece que Serpa começou a apoderar-se daquilo que foi sua razoável fortuna. Você, indiscutivelmente, não se deve iludir. Assim como já negociou os lotes que lhe pertenciam em Santos, disporá talvez de todo o material que você aprecia ainda como se fossem os seus apartamentos de aluguel em São Paulo, a sua residência do Guarujá, as suas apólices, as suas joias, os seus depósitos bancários e até mesmo o seu pequeno mundo doméstico de Vila Mariana... Aceite a realidade, meu amigo. Todas as suas propriedades no campo físico, mediante a desencarnação, passaram ao domínio de outras vontades e ao controle de outras mãos. A vida reclama o que nos empresta, dando-nos em troca, seja onde seja, o que fazemos dela, junto dos outros... Todas as transformações a que nos referimos virão, na certa, logo Caio consiga fazer de sua filha a esposa legítima. Entretanto, abstenhamo-nos de classificá-lo por ladrão e malfeitor. Ele é, sim, um filho de Deus, tanto quanto nós, sacando no futuro. Toma hoje, por empréstimo, à sua viúva e à sua filha os recursos que você lhes deixou, por fruto de uma existência imensamente laboriosa, julgando que realiza brilhante proeza de inteligência... Entretanto, a pessoa enganada é ele mesmo, o nosso pobre amigo...

— Mas como?

O mentor, sereno, clareou o assunto:

— Supondo senhorear largos créditos, Caio apenas assume largas dívidas, perante as Divinas Leis. Retendo os patrimônios materiais de Elisa e Vera, experimentará, instintivamente, a fome de ação para enriquecer-se cada vez mais. Apaixonar-se-á pelo dinheiro e tão cedo se sentirá saciado. Em vez de aproveitar as alegrias da vida simples, andará distante da verdadeira felicidade, escravizado que ficará, por muito tempo, à ambição de ganhar e ganhar, amontoar e amontoar... E isso tudo, no fim, será revertido em benefício... Sabe de quem?

— Estimaria saber... — apontou Ernesto, estomagado.

— Dos seus familiares, meu caro, e principalmente de Elisa, a quem ele presentemente impele à desencarnação prematura, com apontamentos insensatos, sequioso de lhe governar as vantagens econômicas em regime de ilusória impunidade.

— Oh! explique-nos!... — solicitou Ernesto, ansioso.

Ribas apanhou pequeno mapa, dentre os papéis que compulsava, e elucidou, indicando figurações aqui e ali:

— A desencarnação de Elisa está prevista para breves dias, mas o renascimento dela, depois de reequilíbrio seguro em nossa estância, poderá ocorrer, conforme nosso esquema, dentro de cinco a seis anos. Com a permissão de nossos Maiores, será ela filha de Serpa e Vera, se vocês trabalharem no socorro a ambos, com muito amor... Renascerá depois de Mancini, que lhes será o primogênito... Como é fácil de perceber, daqui a trinta anos, mais ou menos, ocasião considerada provável para o retorno de Caio à vida espiritual, devolverá ele à sogra espoliada — então sua filha — tanto quanto a Vera Celina, na condição de viúva, todos os patrimônios de que hoje se apropria. E restituí-los-á positivamente aumentados, acrescidos de grandes rendimentos, ao mesmo tempo em que terá trabalhado o bastante para legar a Túlio, na existência nova, uma situação material invejável...

2.7 Diante de Evelina e Ernesto estupefatos com a segurança das Leis de Deus, Ribas pareceu encerrar os estudos, advertindo:

— Longe de nós a intenção de categorizar Serpa à conta de larápio ou delinquente; ele é nosso aliado, nosso amigo. O que nos compete fazer, de imediato, é rogar ao Senhor fortalecê-lo com a bênção da saúde física e da euforia espiritual, a fim de que viva tranquilo, no casulo terrestre, por muitos e muitos anos...

E sorrindo:

— Chegará o tempo em que vocês dois se aprestarão, quanto possível, a fim de resguardar-lhe as garantias pessoais e ampliar-lhe os lucros dignos, de maneira a proteger o futuro dos entes caros. Imploremos a Deus faça dele um homem rico e bondoso, diligente e realizador. Precisamos dele e, consequentemente, Caio precisa de nós.

Notando a senhora Serpa que a conversação descambava para o término, apressou-se a dizer:

— Instrutor, e meu pai? Venho sonhando para ele o regresso ao berço terreno...

— Isso igualmente já consta de nosso esquema. Sabíamos, Evelina, que você, filha dedicada e amorosa, cogitaria de ajudá-lo... Fomos informados de que você ontem já lançou no coração materno a ideia-semente que frutificará com o amparo divino, suplicando à nossa irmã Brígida o recolha, no lar, como menino perfilhado. Seu apelo foi muito feliz e, com semelhante medida, Amâncio Terra, seu padrasto, receberá o socorro merecido. Em verdade, ele exterminou o corpo de Desidério, seu pai, alucinado na paixão que lhe enceguecia o espírito, e apossou-se-lhe da casa e dos recursos... É um homem ateu e evidentemente criminoso, mas profundamente humano e caritativo. Recolheu os bens de seu pai; no entanto, ao dilatá-los, com administração judiciosa e profícua, fez-se o esteio econômico para mais de duzentos Espíritos reencarnados, os seus servidores e rendeiros, com os descendentes respectivos... Há mais de vinte anos, a todos protege, com a vigilância de um pai atento e bom. Nunca abandonou os que enfermassem, nunca desprezou os caídos em prova, nunca deixou crianças ao desamparo... Sim!... Ele assassinou Desidério, seu pai, e responderá por essa falta, nos tribunais da vida, mas escravizou-se a Brígida, sua genitora, de quem procura satisfazer os menores desejos na posição de marido honesto e fiel... Tantas preces sobem do mundo, a favor dele, para a infinita misericórdia de Deus, pelas consolações e alegrias que espalha, que chegou a merecer mais amplas atenções de nossos Maiores... Fomos recomendados ontem para que a sua filial rogativa seja atendida no momento oportuno... E quanto a seu pai, segundo a sua petição, retornará, com a bênção do Senhor, ao convívio do homem que ainda odeia, mas aprenderá a ver-lhe as qualidades nobres e amá-lo-á enternecidamente, como a um pai verdadeiro, de quem receberá abnegação e ternura, apoio e bons exemplos.

Ribas silenciou por momentos e, em seguida, acentuou, qual se estivesse respondendo a certas dúvidas dos ouvintes:

— É inegável que Amâncio possui apenas mais dez anos de permanência no corpo físico, de acordo com os dados esclarecedores que nos foram enviados, com objetivos de estudo; no entanto, para um homem com os serviços prestados que ele tem, não nos será difícil obter, junto aos poderes superiores, moratória de quinze a vinte anos a mais, prolongando-se-lhe o tempo na existência atual... À face de tudo isso, esperamos possa ele realmente conquistar do Senhor a felicidade de receber Desidério por filho — por intermédio do concurso de um casal humilde —, a fim de conferir-lhe vida nova e devolver-lhe, no porvir, todos os bens de que foi, um dia, despojado... Esteja certa, Evelina, de que seu pai, reorientado pelo verdugo de outro tempo, hoje transfigurado em obreiro do bem, na escola do trabalho, será um homem equilibrado e com todos os recursos para ser feliz .

2.9   Ribas pausou, de novo, alguns instantes e, logo após, anunciou:

— Nosso esquema inclui um acontecimento importante... Nos dias que virão, seremos chamados a aproximar os lares de Serpa e Amâncio, porquanto Desidério e Elisa, reencarnados, realizarão venturoso matrimônio em plena juventude... Envidaremos esforço máximo para que Desidério se despeça de nós, em breve tempo, na direção da vida física...

Evelina chorava de jubilosa emoção, meditando na Justiça perfeita de Deus, e Ernesto refletia, empolgado de assombro, ante a lógica do plano estabelecido.

Sopitando a comoção encharcada de lágrimas, a senhora Serpa articulou nova pergunta:

— E minha mãe?

— Sua mãezinha — aclarou o mentor — acompanhará os destinos de Amâncio... Seu pai desposou-a, mas não a amava... Tanto assim que, nas anotações e relatórios de que dispomos, você ainda estava no berço terrestre e ele já gravitava para outros campos sentimentais.

— Tantos projetos! — especulou Fantini. — Transformar figuras em obras exige trabalho e trabalho... Quem se responsabilizará pela execução de semelhantes planificações?

O mentor lançou-lhe benevolente olhar e falou para ambos:

— Vocês já ouviram falar em guias espirituais?

Ernesto e a companheira esboçaram silencioso gesto de estranheza.

E Ribas:

— Pois é... Vocês dois serão os encarregados do serviço em perspectiva, com todas as tarefas-satélites que lhe forem consequentes. Esforçar-se-ão para que Serpa e Vera se consorciem; para que Elisa se recupere após a desencarnação, no menor prazo possível; para que Desidério volte ao renascimento físico, nas condições desejáveis, e auxiliarão, ainda, a Elisa, no retorno à Terra, com o dever de amparar-lhes o berço e a meninice, além de que estarão colaborando não só para que a futura genitora de Desidério conquiste recursos adequados a acolhê-lo no claustro materno, como também para que o nosso amigo, a reencarnar, venha a sentir-se convenientemente instalado, na posição de filho adotivo... E nada de esquecer nosso Mancini, que prossegue requerendo atenções especiais; o encaminhamento dele no futuro, o enlace de Elisa e Desidério, mais tarde, depois das providências com que nos empenharemos a reaproximar as famílias Terra e Serpa...

Num gesto marcante de bom humor:

22.

— Trabalho para trinta anos, meus amigos! Para início de ajuste, considerem-se vinculados à nossa cidade, em serviço, no mínimo de trinta anos pela frente!...

Ernesto contemplou Evelina, tomado de profundo enternecimento. E pensava que ela e ele haviam sido rechaçados da memória dos que mais amavam, quase que totalmente esquecidos, recusados, afastados, substituídos. A ex-senhora Serpa — pois que a moça se reconhecia francamente liberada, pelas atitudes de Caio, quanto ao prosseguimento de qualquer compromisso de natureza afetiva — fixava Ernesto e sintonizava-se-lhe com a onda de ideias e emoções. Estavam os dois com a paz de consciência e a sós um com o outro, na empresa que os chamava. Fantini pareceu-lhe mais espiritualizado pelos sofrimentos dos dias últimos, qual se a fogueira de aflições ocultas lhe houvesse remodelado a forma e retocado o semblante. Entreolharam-se e compreenderam-se. Todos os entes queridos da Terra, à exceção de Brígida que ainda mantinha pensamentos de ternura e saudade para a filha distante, dispensavam-lhes a presença e o concurso. Entretanto, necessitavam agir e construir a favor deles mesmos. E ao modo de aliados que se reencontram para veneráveis misteres, no campo da vida, se prometeram, sem palavras, irmanar os corações, transferindo um para o outro os sagrados tesouros afetivos que se lhes devolviam da Terra, convencidos de que precisavam da escora recíproca para a longa jornada que se lhes descerrava aos anseios de redenção.

23
Ernesto em serviço

23.1   A obra de assistência espiritual por parte de Fantini e Evelina avançava com segurança, entre as melhoras de Túlio e os tentames de reaproximação com Desidério, que não se desvinculava de Elisa, então relegada às próprias reflexões no sanatório a que fora conduzida.

    O trabalho para Ernesto se fazia, porém, cada vez mais difícil, porquanto o adversário não perdia ocasião de arrancar-se contra ele, com acusações e achincalhes. Por outro lado, as condições orgânicas de Elisa pioravam, de dia para dia, e os seus esforços, no sentido de abeirar-se dela, redundavam quase nulos. Preocupado com o rumo da situação, procurou Ribas, a quem expôs o problema, inquirindo por que motivo um Espírito sofredor e enrijecido nas ideias de vingança adquirira tamanho poder de penetração, a ponto de apontar-lhe as mínimas falhas de caráter.

    — Ah! meu amigo, meu amigo... confessou o instrutor — nossos irmãos atrelados ao desespero e à revolta encontram razões para censurar-nos, sempre que preferimos desempenhar na Terra a função de personalidades-legendas.

— Como assim?

— Muita vez, somos no mundo titulares desses ou daqueles encargos, sem que venhamos a executá-los de modo efetivo. Costumamos ser maridos-legendas, pais-legendas, filhos-legendas, administradores-legendas... Usamos rótulos, sem atender às obrigações que eles nos indicam. Entendeu? Igualmente, já fui esposo-legenda na Terra, isto é, casei-me, abracei compromissos de família, mas acreditei que as minhas responsabilidades se limitassem a ostentar a chefia da casa e a pagar as contas de fim de mês. A rigor, jamais compartilhei as inquietações da companheira na educação íntima dos filhos e, que eu me lembre, nunca me sentei, junto de qualquer deles para sondar-lhes as dificuldades e os sonhos, conquanto lhes exigisse conduta que me honrasse o nome.

Assinalando a delicada objurgação, Fantini viu-se mais uma vez espicaçado pela própria consciência.

Concluía, sinceramente, de si para consigo, que não fora o esposo e o pai que deveria ter sido. Somente ali, naquela estância espiritual, depois da morte do corpo físico, percebia, nas duras refregas da autocorrigenda, que o dinheiro não faz o serviço do coração. Sentindo-se rebaixado, triste, absteve-se de quaisquer divagações nos temas da consulta, ao passo que o mentor, risonho, deteve-se a confortá-lo nas despedidas:

— Nada de desânimo!... Ouçamos os opositores nas críticas que assaquem contra nós, buscando aproveitá-las com humildade no que mostrem de verdadeiro e de útil. Usemos essa chave, Fantini — a humildade. — Ela funcionará com acerto na solução dos maiores enigmas. Sejamos cristãos autênticos, amando, servindo, desculpando...

3.3   Atento às lições constantes do amigo, consagrava-se Ernesto, cada vez mais, aos misteres da fraternidade legítima, fosse tolerando as diatribes da mulher debilitada pelo sofrimento, ou suportando, com resignação heroica, os baldões do irmão infeliz, sempre disposto ao espancamento verbal.

Depois de 26 dias de frequência correta ao clima de serviço, verificou, surpreso, que Serpa, pela primeira vez, vinha ao encontro da futura sogra.

Muito bem-apessoado, postou-se o causídico à frente da enferma, em sala particular, com o beneplácito da administração do instituto pois, segundo anunciou, desejava colher impressões claras e pessoais, com alusão à doente, a fim de prestar informes positivos à noiva.

Em derredor de ambos, apenas os dois acompanhantes desencarnados, Desidério e Fantini, ambos ansiosos pelos resultados da entrevista.

Quando se acharam a sós, Elisa expôs, com palavras serenas de mãe, o desejo de abraçar a filha, a fim de que ela lhe testemunhasse a sanidade mental e lhe patrocinasse o regresso para a casa, sensibilizando tanto Fantini quanto Desidério, pela atitude humilde em que vazava as súplicas de mulher derrotada pelas circunstâncias.

Serpa, no entanto, contrariou-a, inflexível:

— Absolutamente, a senhora não terá alta, assim como pretende, pois os prognósticos a seu respeito não ajudam...

— Por quê?

— As informações relativas ao seu comportamento não nos autorizam a retirá-la.

— Comportamento? Que comportamento?

— Continua chorando sem propósito, conversa sozinha, interpela sombras...

— Simplesmente não sou compreendida; o que vejo, vejo...

— Vera telefona diariamente e os enfermeiros são concordes em declarar que as suas perturbações não diminuíram.

— Serpa — admoestou Elisa, carregando a voz de mal-estar —, apesar de tudo, insisto com o seu cavalheirismo, a fim de que me traga Vera...

— Para quê? Para traumatizá-la com as suas fantasias? Não acredita que sua filha já sofreu o bastante com os seus choros e noites em claro?

— Oh! Serpa!...

— A senhora sabe que já sou quase seu genro, tenho direito a interferir...

— Não sei quem teria o direito de interferir entre as mães e os filhos — reivindicou a enferma, agora suplementando cada palavra com inflexão de funda tristeza. — Não reclamo contra a sua ingerência nos negócios de minha casa, a ponto de me achar interditada, no tocante a emitir um simples cheque...

— Não se lamurie — atalhou Caio, agressivo —, aceitei o papel de seu procurador, por exigências de sua filha. Tenho serviço que me baste e não disputaria a condição de seu empregado...

— Não lamento e conto com a sua honestidade para proteger os interesses de minha filha... Quanto a mim...

— Que quer dizer?

— Quanto a mim, vocês dois não se afligirão por muito tempo. Alguns palmos de terra...

— Por que fala nisso? Que há de mais? A morte é o fim de nós todos, e, se a senhora se expressa dessa forma para comover-me, está muito enganada...

— Oh! Meu Deus, só desejava ver minha filha!...

— Pois enquanto não se normalizar, enquanto não puder recebê-la sem causar-lhe impressões negativas, não conseguirá.

— Mas por que me impõe essa recusa, se sempre recebi você em minha casa, como se fosse meu próprio filho?

— Mentira! A senhora me detesta... Não me expulsou porque Vera não permitiu, porque sou o homem que ela escolheu para lhe dirigir o futuro...

E ante a penosa estupefação da doente:

— E saiba que tanto ela quanto eu estamos fartos de saber que a senhora já viveu sua vida e que precisamos viver a nossa... Não será uma sogra velha que frustrará nossos planos.

Inopinada revolta anuviou o cérebro de Elisa, que se aprestou para a reação, exclamando, frenética:

— Infame!...

Surgida a indignação, Desidério — o desencarnado que, a rigor, lhe controlava todas as faculdades — senhoreou-lhe a mente, de forma espetacular, e a crise se desencadeou dominadora, terrível...

Elisa, possessa, investiu sobre o visitante, buscando asfixiá-lo, em meio a impropérios que se lhe estranhavam na boca.

Serpa recuou, sob indisfarçável espanto, dando lugar à paciente enfermeira que imobilizou a viúva, ao mesmo tempo que, de outro lado, Ernesto, a pulso, impediu os movimentos desordenados do companheiro.

Restabeleceu-se a ordem.

A moça de serviço reconduziu a doente para o quarto, apoiada no concurso de duas auxiliares, e voltou para as escusas.

— Não se aflija, doutor. Foi uma crise como tantas... Isso passará.

— Compreendo — revidou Caio, gentil. — Dona Elisa sempre me tratou com carinhos de mãe. Pobre amiga! Tem os nervos positivamente destrambelhados.

Enquanto a conversa prosseguia, Fantini segurava Desidério, amistosamente, coadjuvado por outros tarefeiros desencarnados em atividade no sanatório.

Um deles solicitava prisão para o agitado agressor, ao passo que os demais informavam que, desde a entrada de Elisa no estabelecimento, era ele um prestativo e pacato acompanhante da enferma, que encontrava nele um amparo e um amigo.

Ouvindo alusões a encarceramento provável, o pai de Evelina percebeu que se achava diante da possibilidade de perder-se da criatura querida, e asserenou-se.

Valeu-se Ernesto da circunstância e o apresentou como se fosse, para ele, um irmão caríssimo, no intuito de sossegar as sentinelas, acentuando que o pobre se desmandara ligeiramente, à vista de certas provações de família. Entretanto, ele, Fantini, estava ali justamente a fim de ajudá-lo a se desvencilhar de quaisquer lembranças destrutivas.

Dispersaram-se os guardas.

Depois disso, Ernesto convidou o rival a segui-lo, no que foi atendido, sentando-se ambos em espaçoso banco de jardim próximo.

Desidério chorava, colérico, impedido que se vira de surrar o advogado como desejara.

— Você viu que crápula? — explodiu, encarando Fantini com expressão menos cruel. — Não sei por que ainda não aniquilei esse pulha de Serpa!... Primeiro, assassinou um colega, o advogado Túlio Mancini, depois matou minha filha aos poucos, e agora quer arrasar Elisa, após furtá-la descaradamente...

O amigo fitou-o com bondade e ajuntou:

— Desidério, perdoe-nos por todo o mal que já lhe fizemos e escute-me!... Acalme-se, por amor de Deus! Não lhe peço isto por nós, mas por Elisa, a quem você ama tanto... Presentemente, nada mais disputo senão a paz entre nós. Tranquilize-se, para arrostarmos a realidade; posso informar a você que a nossa enferma está no fim da resistência física!...

— Tenho alguma ideia disso — replicou Desidério menos hostil, patenteando intenções de acordo e entendimento, pela primeira vez —, mas lutarei como um touro para defendê-la.

Darei a ela as minhas forças, minha vida. Minha alma é a dela, assim como o corpo em que ela respira é o meu corpo... Habitamos a mesma cela de carne, pensamos pela mesma cabeça!...

— Graças a Deus — concordou Fantini com humildade — compreendi que assim é e que assim deve ser...

Demonstrando o elevado grau da despersonalização que ia adquirindo:

— Desde que você me falou com clareza fraterna, em nosso primeiro reencontro, reconheci que Elisa descobriu em você a sustentação de que necessitava, e creia que, se atualmente algo aspiro em relação a ela, anseio vê-la feliz ao seu lado... Estou convencido de que a nossa doente não perseverará mais por muitos dias no corpo terrestre e o choque de hoje, com certeza, pesará na balança...

— Ah! Esse Caio, esse miserável...

— Não, Desidério! Assim, não... Suplico a você paciência e tolerância... Acaso, não estaremos cansados de rebeldia e de ódio? Ante a minha falta, no propósito de suprimir você, amarguei a existência terrena, perdendo em remorso e fuga incessante de mim mesmo os melhores tempos da vida no mundo dos homens, e você, meu caro, por não haver desculpado a mim e ao nosso Amâncio, tem estado na selva das provações, que se reservam aos Espíritos impenitentes e sofredores... O leito das lágrimas de Elisa não poderia ser o ponto terminal de nossos disparates? O santo lugar de apaziguamento? Elisa se libertará dos suplícios corpóreos, e nós, meu amigo? Que será de nós, se, largado o corpo de matéria pesada, continuamos de espírito atormentado nas ideias de culpa e condenação, crime e castigo? Ela partirá...

Desidério, porém, transtornado pelos argumentos que lhe anunciavam separação, bradou, impulsivo:

— Elisa não partirá de meus braços, não me abandonará!... Não a deixarei!...

— Inúteis, Desidério, quaisquer protestos nossos contra as forças da vida. As Leis de Deus se cumprirão. Elisa sustenta-se em você, mas igualmente ama a filha, e, sabendo-se irremediavelmente afastada da ternura filial, inconscientemente aspira à morte e há de tê-la mais depressa, depois que se certificou das atitudes menos felizes de Serpa... Com toda a certeza, a pobrezinha se deterá no pensamento da desencarnação, supondo-se no rumo direto de sua companhia; no entanto, verificar-se-á o imprevisto... A morte vai situá-la em polo oposto ao seu... Ela não tem a sua estrutura mental, nem a sua disposição para demorar-se nestes sítios... Ressentida hoje contra o genro, amanhã saberá absolvê-lo e patrociná-lo, acomodando-se com os mensageiros da vida maior, por intermédio da oração... Apesar do temperamento irritadiço que lhe conhecemos, não odeia ninguém e nunca demonstrou vocação para a vingança.

Desidério abaixou-se para o solo, agarrou a cabeça entre as mãos e desfez-se a prantear com maior desespero.

— Perdoe, meu amigo!... Perdoe a nós todos, incluindo Caio em sua compaixão!...

— Nunca, nunca!...

— Sou eu quem reconhece as injustiças que perpetramos contra você, sou eu quem lhe observa a nobreza de coração... Revele-me e ouça!... Agradeço o seu devotamento à mulher que eu não soube fazer feliz e a ternura pela filha, para a qual você se transformou em abnegado zelador... Por tudo isso, peço-lhe ainda para que estenda até nós, os seus carrascos, as vibrações de sua piedade e de sua simpatia...

— Ah! Fantini, Fantini!... — rugiu o interlocutor, como a guerrear-se para não se render à emoção. — Por que me tenta assim a uma conciliação impossível? Que razões para tanto empenho em modificar-me?

— Desidério, no mundo físico, trabalhamos particularmente com a matéria pesada e transfiguramos pedras, metais, glebas, fontes... Aqui na Espiritualidade, lidamos, de modo especial, com as forças do espírito e renovamos almas e consciências, a começar de nós mesmos... Atenda-me!... Lembre-se de que Elisa possui muitos amigos para requisitá-la aos planos superiores, como os teve a sua querida Evelina!... Por amor de Evelina, que você guarda na memória, à feição de um gênio tutelar, não quererá você sublimar atitudes, principiando pelo perdão que imploramos e carecemos?!...

3.9 — Evelina!... Evelina, minha filha!... — suspirou o desventurado em lágrimas copiosas. — Não, não posso imiscuí-la em nossa conversação!... Evelina deve habitar na casa dos anjos!... Que eu padeça no inferno, acalentado por mim mesmo, que eu me debata no lameiro que mereci, mas que a felicidade abençoe minha filha nos Céus!...

— E se ela própria vier, um dia, ao seu encontro para advogar nossa causa, amparar-nos, rogar a sua misericórdia de credor para nós outros, os seus devedores?

Desidério esforçava-se para falar, rompendo a barreira de dor que lhe comburia o âmago da alma; no entanto, compassivo assistente espiritual da instituição veio até os dois para notificar-lhes o inesperado. Finda a crise violenta de angústia, caíra Elisa em funda prostração, ante a ruptura de delicado vaso cerebral, prenunciando-se-lhe a desencarnação para breves horas.

Esqueceram-se ambos, para o socorro preciso.

Por meio de telefonemas à pressa, Vera e Serpa, alarmados, cientificaram-se quanto ao novo rumo que se imprimira à situação e, juntos, demandaram o estabelecimento, encontrando Elisa agonizante, em ambiente de tranquilidade e carinho.

O médico amigo, não obstante expender argumentos de consolo e esperança, foi claro no aviso: "nada mais a fazer, senão aguardar".

Vera Celina, em soluços, ajoelhou aos pés daquela cuja boca não mais se abriria para abençoá-la com os recursos do corpo terrestre.

Caio, evidentemente contrafeito, contemplava a cena, fumando cigarros sucessivos.

Enfermeiras iam e vinham, no afã de se fazerem mais úteis, e auxiliares espirituais formavam cadeias magnéticas de apoio à viúva Fantini, a fim de que o trânsito de um mundo para outro lhe fosse mais rápido e menos intranquilo.

Ernesto demandou a residência da Espiritualidade, a fim de colher as instruções de Ribas, diante da emergência, e Desidério se plantou à cabeceira, imerso em revolta e desesperação.

Durante oito horas consecutivas, o coração ainda sustentou o corpo tombado inerte.

Sobrevindo a madrugada, Elisa abriu as pálpebras desmesuradamente e tentou fixar os olhos na filha para endereçar-lhe a inexpressável despedida; no entanto, descortinou a presença de Serpa, que a fitava, rente ao leito, e, não obstante incapaz de nutrir quaisquer resquícios de ódio no âmago da alma, cerrou o coração em densa nuvem de mágoa, pedindo mentalmente a Desidério que a resguardasse e defendesse. Bastou essa deliberação irrefletida e, qual se lhe agarrasse, ávido, os pensamentos que lhe seriam os derradeiros, no envoltório carnal, o acompanhante colou-se a ela, dando a ideia de quem lhe sorvia todas as forças...

Vera pressentiu que a genitora se rendia, por fim, ao grande repouso e, ansiosa, procurou debalde reanimar-lhe a vida orgânica, suplicando:

— Mãe! Mãe!... Minha Mãe!...

Da boca hirta, contudo, não surgiu qualquer resposta.

Elisa Fantini pendeu a cabeça nos travesseiros, enquanto o corpo se imobilizou para sempre.

Na enfermaria do sanatório, caía o pano da morte sobre aquela existência, fértil de tribulações e problemas, na ribalta do mundo; todavia, por trás dos bastidores, na esfera espiritual, o drama não terminara. Jungido à morta pela força dos últimos desejos que ela mesma enunciara, Desidério, inflamado em labaredas de ódio, retirava-lhe uma das mãos na destra rude, impedindo-lhe a retirada... Elisa, embora semi-inconsciente, percebeu que se achava presa a ele e algemada ao cadáver, ouvindo o desventurado companheiro a repisar e repisar que jamais a deixaria...

***

.11 Irmãos da Terra, em meio às vicissitudes da experiência humana, aprendei a tolerar e perdoar!... Por mais se vos fira ou calunie, injurie ou amaldiçoe, olvidai o mal, fazendo o bem!... Vós que tivestes a confiança traída ou o espírito dilacerado nas armadilhas da sombra, acendei a luz do amor onde estiverdes!... Companheiros que fostes vilipendiados ou insultados em vossas intenções mais sublimes, apagai as ofensas recebidas e bendizei os ultrajes que vos burilam o coração para a vida maior!... Irmãs que padecestes indescritíveis agravos na própria carne, desprezadas pelos carrascos risonhos que vos enlouqueceram de angústia, depois de vos acenarem com mentirosas promessas, abençoai aqueles que vos destruíram os sonhos!... Mães solteiras que fostes banidas do lar e batidas até a queda na prostituição, por haverdes tido suficiente coragem de não assassinar no próprio ventre os filhos de vossa desventura, com a insânia do aborto provocado, mães agoniadas às quais tantas vezes se nega até mesmo o direito de defesa, conferido aos nossos irmãos criminosos nas cadeias públicas, perdoai os vossos algozes!... Pais que trazeis nos ombros escalavrados de sofrimento a carga dolorosa dos filhos ingratos, filhos que aguentais na carne e na alma o despotismo e a brutalidade de pais insensíveis e cônjuges flechados entre as paredes domésticas pelos estiletes da incompreensão e da crueldade, absolvei-vos uns aos outros!... Obsidiados de todos os climas, tecei véus de piedade e esperança sobre os seres infelizes, encarnados ou desencarnados, que vos torturam as horas!

Criaturas prejudicadas ou perseguidas de todos os recantos do mundo, perdoai a quantos se fizeram instrumentos de vossas aflições e de vossas lágrimas!... Quando sentirdes a tentação de revidar, lembrai-vos daquele que nos concitou a "amar os inimigos" e a "orar pelos que nos perseguem e caluniam"! Recordai o Cristo de Deus, preferindo ser condenado a condenar, porque, em verdade, quantos praticam o mal não sabem o que fazem!... Convencei-vos de que as leis da morte não excetuam ninguém e não vos esqueçais de que, no dia do vosso grande adeus aos que ficarem na estância das provas, somente pela bênção da paz e do amor na consciência tranquila é que podereis alcançar a suspirada libertação!...

24
Evelina em ação

4.1   Antes que o Sol reaparecesse, Ernesto, Evelina e alguns amigos do Instituto de Proteção Espiritual — dentre os quais se destacava o irmão Plotino que, a pedido do instrutor Ribas, chefiava a diminuta caravana socorrista — abordaram São Paulo, no intuito de cooperarem com os assistentes espirituais, empenhados na libertação de Elisa, encerrada na prisão dos próprios restos.

Informados de que a filha determinara a remoção da morta para casa, demandaram Vila Mariana.

Evelina trazia o coração sôfrego. Veria o pai pela primeira vez. Acariciava na memória a imagem dele, colhida em retratos de família. Ansiava compreendê-lo, ampará-lo.

Ernesto encorajava-a.

Quase no limiar da residência, Plotino recomendou parada à equipe e comunicou que, primeiramente, ganharia o interior, desacompanhado, de maneira a efetuar ligeira inspeção, examinando o serviço a fazer.

Sob as atenções da filha que se apoiava em Serpa e em alguns amigos da vizinhança, tanto quanto guardada pela vigilância de vários benfeitores espirituais, Elisa, semidesperta, jazia no impasse. Agarrada por Desidério por uma das mãos e alentada pelas forças dele, que lhe invadiam a alma, parecia comprazer-se com a estranha hipnose.

Às primeiras inquirições de Plotino, o piedoso enfermeiro desencarnado, que se encarregaria do apoio magnético para exonerar a viúva dos despojos a que se imanizara, confessou o receio de que se via acometido; se constrangesse a senhora Fantini a largar o carro físico inutilizado, não lograria violentar-lhe o pensamento perfeitamente lúcido. Forçar-lhe-ia a retirada, mas não dispunha de meios para isolá-la mentalmente do acompanhante rebelde, a cujo patrocínio ela mesma se confiara.

Imprescindível a intervenção de alguém com suficiente poder de persuasão para compelir Desidério a mudar de atitude.

Irmão Plotino abeirou-se dele com delicadeza fraternal e suplicou-lhe o concurso para que Elisa fosse liberada e conduzida a mansões de refazimento.

Acomodado ao pé da morta, o interpelado se achegou ainda mais para ela e simplesmente rugiu em voz selvagem:

— Palhaços!... Não me tirarão daqui... Que querem nesta casa? Ela é minha mulher... Ninguém me demoverá com petitórios e ladainhas. Tenho experiência! Conheço os que não se separam nas furnas tenebrosas que recebemos por moradias... Ninguém, mas efetivamente ninguém, me arrancará desta sala!...

— Alguém fará isso, irmão Desidério — enunciou Plotino sem alterar-se.

— Quem?... Diga quem!...

O emissário sorriu paciente e murmurou apenas:

— Deus.

E a vida continua... | Capítulo 24

4.3   O inconformado amigo trovejou blasfêmia terrível e Plotino voltou sobre os passos percorridos, pondo-se ao encontro dos companheiros. Explicou-lhes o que se passava e imaginou as providências cabíveis. Aquele era o momento para a intervenção pessoal de Evelina. Todo o grupo persistiria em oração, a fim de apoiá-la, porquanto a companheira deveria entrar a sós, no refúgio doméstico, de modo a tentar a renovação do pai, que, decerto, não hesitaria em obedecer-lhe.

Viu-se, para logo, o prodígio dos pensamentos congregados em um só objetivo.

Sem qualquer indução à teatralidade, mas sim fundidos no só intuito, profundo e sincero, de projetar as energias do amor na obra socorrista, aqueles corações em prece lançaram vasto lençol de safirina luz sobre a porta de entrada, credenciando a companheira para a abençoada missão que se lhe delegara. Espiritualmente ligada aos amigos que se lhe haviam metamorfoseado em base de equilíbrio e sustentação, Evelina penetrou o recinto, qual se fora uma estrela repentinamente transfigurada em mulher.

Desidério, aterrado, fixou a aparição e caiu de joelhos!... Era ela, sim — pensou —, a sua filha, a sua amada filha que jamais lhe escapara da lembrança, mesmo quando se mergulhara em aventuras nas trevas mais densas!...

À medida que Evelina o fitava, entremostrando radiante e doce ternura, o infortunado genitor contemplou-se no suave clarão que a mensageira irradiava... Viu-se na penúria de um sentenciado que persistisse, por anos e anos, no fundo de um cárcere, sem o menor cuidado para consigo mesmo. Qualificou-se por monstro, à frente de um anjo, e, à maneira de um cão batido e aviltado, intentou arrastar-se para fugir...

A moça adivinhou-lhe o propósito e falou, simples:

— Meu pai!...

Desidério sentiu que aquela voz lhe alcançava as entranhas... Sim, aquelas duas palavras lhe vinham daquela alma querida que ele julgara nunca descesse do Céu para interpelá-lo... Tornando a fletir os joelhos trêmulos, o assombro se lhe rebentou no peito, numa explosão de lágrimas:

— Pois é você, minha filha, é você quem Deus manda para me pedir o impossível?

Evelina abeirou-se dele, colocou-lhe a destra na fronte padecente, e o diálogo prosseguiu.

— Meu pai, decerto que Deus abençoa esta hora de reencontro, mas somos nós mesmos, o senhor e eu, os promotores, não do impossível, mas de nossa reaproximação, em nome dele mesmo, nosso Criador e Pai de Misericórdia...

— Que quer você de mim?!...

— Venho convidá-lo a estar comigo... Admitiria o senhor que o tempo desaparecesse, sem que eu sonhasse com este momento? Atravessei a infância e a juventude, namorando seus retratos, casei-me, um dia, na Terra, rogando a sua bênção nas minhas orações e, quando os desígnios divinos me retiraram do corpo físico, formei o ideal de reencontrá-lo!...

O infortunado esboçou um gesto de autocompaixão, e gemeu:

— Veja, minha filha, o que fizeram de mim, os criminosos que nos destruíram...

— Ó! meu pai, não acuse!... O senhor terá sofrido, mas a dor é sempre bendita perante Deus; o senhor terá suportado provas difíceis; no entanto, aprendemos, presentemente, que todo dia é ocasião de renovar e partir para destinos mais altos!...

— Com certeza, nas moradas divinas, que você mereceu, ficou sabendo que não perdi meu corpo em acidente algum...

— Sim, conheço hoje toda a verdade a nosso respeito...

— Não pode, então, ignorar que os meus verdugos são igualmente os seus; nós dois fomos esbulhados pelos mesmos bandidos!... Se no Céu não existe memória para o mal, é preciso recordar a você que Amâncio Terra, o celerado que se arvorou em seu padrasto...

24.5 Porque os soluços o compelissem a compridas reticências, Evelina aclarou com humildade:

— O senhor não se agastará comigo se disser que ele me quis bem e me respeitou sempre como sua própria filha... Se é inegável que cometeu falta grave para com o senhor, diante das Leis Divinas, creio que o arrependimento que ele carrega, há mais de vinte anos, fala pela regeneração que fez dele um homem de bem...

— Você não pode esquecer que ele exilou você de casa, ainda em tenra idade...

— Enviou-me para a escola, meu pai. Deu-me disciplinas que me livraram de tentações, nas quais eu teria sucumbido em muitos erros, durante a permanência no mundo; nunca me regateou assistência nem me contrariou os impulsos para o matrimônio; em minha meninice, encorajava-me nos estudos, interessava-se por minhas notas, premiava a minha boa vontade com brindes e carinhos que somente o senhor me poderia dar... É verdade que meu padrasto nunca substituiu o senhor em meu coração, meu pai, mas sua filha não deve ser ingrata a quem lhe deu tanto!... Em casa, foi sempre um protetor de nossa felicidade... Nunca lhe vi o mínimo gesto de desconsideração para com minha mãe...

— Ah! Não me fale de Brígida, aquela infame!...

— Oh! Pai de meu coração, por que condenar aquela que nos uniu? Que conseguiria fazer minha mãe ainda tão moça, a carregar-me nos braços, não fosse o apoio de um companheiro? Aceitando a colaboração de Amâncio, ela não acolhia deliberadamente o desditoso caçador que lhe impusera a desencarnação, mas sim o amigo que o senhor mesmo, um dia, levou para a nossa casa, segundo as confidências de mãezinha, em suas horas de saudade e desolação... Saiba que minha mãe sempre me ensinou a reverenciar a sua memória e a enobrecer o seu nome...

Ante a compreensão superior que a filha punha em evidência, Desidério chorava com mais força, em suas manifestações de autopiedade, dando a impressão de quem se propunha buscar, de qualquer modo, novas razões para ser infeliz.

— Você talvez não desconheça que me acho aqui, ao pé da família de outro inimigo que não posso exculpar, Ernesto Fantini, o traidor que intentou matar-me dando a seu padrasto o figurino pelo qual me aniquilou... Esta mulher cadaverizada, mas viva em minhas mãos, foi a esposa dele, pela qual, consumido de ciúmes, pretendeu ele assassinar-me, nada fazendo com isso senão aproximar-me dela, já que o comportamento de Brígida me bania do lar... Pense no doloroso destino de seu pai!... Expulso de minha casa, depois da morte do corpo, à face da influência de um perseguidor, tive de asilar-me em casa de outro, porque no pensamento da companheira, hoje morta para o mundo, encontrava o meu sustento!...

— Quem penetrará os desígnios de Deus, meu pai? Não estaremos todos numa rede de testemunhos de amor, em vista de faltas e compromissos nas existências passadas? Peço à Providência Divina abençoe nossa irmã Elisa e a recompense pelo bem que nos tem feito... Quanto a Ernesto Fantini, a quem o senhor se refere, é forçoso lhe diga que ele tem sido para sua filha um devotado amigo na vida espiritual... Muito antes de saber-me vinculada ao seu coração, rodeava-me de cuidados, restaurando-me as energias. Em todos os lances da estrada nova, vem sendo para mim um apoio, um irmão...

— Você, querida filha, terá adquirido a visão dos anjos para enxergar benfeitores nesses canalhas, mas eu não consigo reconhecer as criaturas humanas com retinas celestes. Sou um homem, simplesmente um homem infeliz!... Apesar de tudo, não acredito que você possa guardar a mesma benevolência para com aquele que lhe foi carrasco entre as paredes domésticas, este criminoso foragido do cárcere, que se apresenta mascarado, aqui mesmo, diante de nós... Caio Serpa...

— Que diz, meu pai ?

E Evelina fez a voz mais compassiva:

— Caio foi para mim um guia generoso, auxiliando-me a entender a vida com mais segurança... Nos dias da mocidade, propiciou-me sonhos de ventura que me ajudaram a viver... Com ele imaginei o paraíso na Terra... E, se na condição de esposo esperou de mim a felicidade que não lhe pude dar, será isso motivo para que venhamos a condená-lo? Indiscutivelmente, assumiu compromisso para com Mancini, que, decerto, resgatará em momento justo; entretanto, por que desprezar os que se fazem objeto de nosso amor, quando nos certificamos de que não são tão felizes quanto supúnhamos? Admite o senhor que os nossos irmãos delinquentes não são enfermos, carecedores de atenção? Por que não manifestar piedade à frente das vítimas da loucura, qual o fazemos diante dos acidentados nos desastres que lhes furtam a existência? Serão os mutilados de espírito diferentes dos mutilados do corpo?

Os lamentos do genitor inconformado se patentearam mais tristes:

— Ai de mim, que não sei perdoar!... O carro da vida me esmaga por farrapo inútil!...

— Meu pai, não lhe ocorre que todos somos filhos de Deus, dependentes uns dos outros?

— Não posso!... Não posso compreender como devo abraçar os que me espancam!...

— Não deseja caminhar adiante? Ser livre e feliz?

— Oh! sim!...

— Então, olvide todo mal. Nunca refletiu no poder do tempo? O tempo nos auxilia a descobrir a fonte do amor que nos lava todas as culpas...

— O tempo, filha? Para os Espíritos de minha espécie, o relógio é máquina de enlouquecer... Anteontem, ontem e hoje padeço por abominar três lobos, Amâncio, Ernesto e Serpa, e sofro para defender três ovelhas, Elisa, você e Vera, já que arredei Brígida para longe de mim!... Você não ignora que Vera se deixou magnetizar pelo tratante que foi seu marido!...

— Piedade, meu pai!... Pensemos em Vera e Caio com os melhores sentimentos de que sejamos capazes!... Reflitamos no futuro... Amanhã, ser-nos-ão eles preciosos amigos, devotados protetores!...

— Você apenas enxerga o bem, eu vejo o mal que vence o bem...

— Não é isso. O senhor se julga perfeitamente são de espírito, quando, na realidade, como acontece ainda comigo, precisa de assistência e reajuste. Eu também, meu pai, de princípio, admiti-me espoliada pela vida!... Aceitava mãezinha e meu padrasto, em muitas ocasiões, por adversários que me haviam desterrado propositadamente de casa para que eu não lhes estorvasse a felicidade, mas na estância de recuperação a que me conduziram, por misericórdia de Deus, passei a abraçá-los por nossos reais amigos, de quem recebi todo o amparo que me foi possível assimilar... Até nos dias últimos, quando reencontrei Caio mais fortemente encadeado a Vera Celina, esbati-me em mágoas arrasadoras, interpretando aquele que me foi o esposo terrestre por modelo acabado de ingratidão, ao mesmo tempo em que censurava Celina por intrusa e ladra de meu tesouro afetivo; entretanto, o orvalho da bondade infinita de Deus visitou a ressequida plantação de meus sentimentos pobres, pelas lições de instrutores abnegados — médicos e enfermeiros da compaixão divina —, e reequilibrei-me, concluindo que Caio e Vera são nossos irmãos da alma... Eles são como são, enquanto somos como somos, e Deus espera que nos amemos, assim como nos permite ser!... Indispensável, meu pai, entender-nos, ajudar-nos reciprocamente e caminhar adiante!... Caminhar sempre, resgatando os compromissos de ontem para que o amanhã seja melhor... O Todo-Misericordioso semeou flores e bênçãos em todos os sítios da estrada a perlustrar... Compreender é buscar a frente, auxiliar os outros será garantir-nos! O amor não falha e Deus nos criou para o amor sem lindes!...

24.9   Desidério chorava, impossibilitado de emitir qualquer observação.

E Evelina:

— Analise com o seu próprio raciocínio. Naturalmente que o nosso irmão Ernesto, não obstante os conflitos íntimos que o afastavam espiritualmente do lar, consagra à nossa Elisa a afeição do homem de bem, e, por isso mesmo, com o discernimento que hoje possui, ter-lhe-á entregue, de todo o coração, o título de companheiro que tem sido e será para ela, perante Deus. Por que não deveremos, de nosso lado, conferir a Caio o direito de dar-se a Vera, conquistando a felicidade que lhe não pude proporcionar, nem mesmo quando me achava no mundo físico?

— Ah! querida filha — alarmou-se o genitor —, semelhante renúncia não significará destruir-nos em suicídio moral?

— Não, meu pai. O amor verdadeiro eleva-se de nível... Hoje entendo que as afeições transviadas podem ser corrigidas no santo instituto da família, por meio da reencarnação... Deus nos permite abraçar, como filhos, aquelas mesmas criaturas que não soubemos amar em outras posições sentimentais!... Os nossos pensamentos de ternura, uns para os outros, um dia serão livres e puros, quais as fontes cristalinas que se irmanam no chão empedrado do planeta ou como as irradiações dos astros, que se enlaçam sem perder grandeza e originalidade, nas imensas vias do Céu...

Depois de longa pausa, seguida pelo silencioso respeito dos amigos desencarnados, ali presentes:

— Se nuvens de mágoa lhe anuviam ainda o coração, lance-as fora e sigamos para a frente, aspirando à paz!... Por agora, deixe que a nossa Elisa se distancie de quaisquer lembranças desagradáveis! Liberte-a e verá que a mulher escolhida lhe pertencerá com mais força!... Ajude-a para a ascensão a novos caminhos e ela voltará ao seu encontro!... Não enclausure na masmorra de carne putrescível aquela que lhe merece a mais sagrada dedicação! Elisa ser-lhe-á grata e, de nossa parte, prometemos solenemente ao senhor, perante a infinita misericórdia de Deus, que a reverá, em nossa própria moradia, onde se prepararão ambos, com o nosso carinho, para uma nova existência juntos, novamente juntos e mais felizes!... Aceite meus rogos, pai querido!...

— Não, não!... — trovejou ele, em mais violenta crise de desespero. — Sou um réprobo, não posso fingir!...

Viu-se, então, o ponto mais alto e mais enternecedor do reencontro.

De mãos pousadas na cabeça do genitor, Evelina lançou os olhos para o alto e exorou:

— Oh! Deus de Bondade!... Meu pai e eu somos dois remanescentes ainda unidos de grande família espiritual, presentemente dispersa!... Concede, ó Todo-Misericordioso, se é de tua vontade, que perseveremos em sintonia, no mesmo anseio de redenção!...

A voz, porém, esmorecera-lhe na garganta, asfixiada de dor, e, ao inclinar-se para a fronte paterna, as lágrimas que lhe perolavam a face, quais gotas de bálsamo divino, se precipitaram sobre o desventurado amigo, transfigurando-lhe o coração.

Tangido por energias recônditas, Desidério desferiu doloroso gemido e largou, de imediato, a mão da morta... Abraçando os pés da filha, bradou com veemência:

— Ah! Evelina, Evelina!... Minha filha, minha filha, leve-me para onde quiser!... Confio em você!... Apague a fogueira de meu espírito que tem sabido tão somente odiar!... Socorro, meu Deus!... Socorro, meu Deus!...

4.11 A moça, suplementada de força pelos companheiros que oravam, reergueu-o facilmente, como se tomasse de encontro ao peito uma criança abatida.

Acorreram enfermeiros desencarnados, desentranhando Elisa do corpo inerte, a lembrarem uma equipe de técnicos que operassem, rapidamente, para retirá-la de um vestido imprestável, e o irmão Plotino, seguido pelos colaboradores, entrou em ação, acomodando Desidério, semi-inconsciente, na ambulância que o transportaria para o novo domicílio espiritual.

***

Alguém acompanhara discretamente conosco todo o diálogo. Era o instrutor Ribas que viera, de surpresa, ao lar da Vila Mariana, a fim de encorajar, em prece, a pupila do Instituto de Proteção Espiritual, no testemunho inesquecível... Assim que a viu, ajudando a carregar o genitor, em sublimada metamorfose, o venerado orientador, talvez rememorando acontecimentos de sua própria vida, afastou-se, em silêncio, com os olhos marejados de pranto que não chegava a se desprender das pálpebras molhadas.

Quanto a nós, de novo em plena rua, limitamo-nos pessoalmente a contemplar o firmamento, onde a aurora purpúrea, anunciando perpétua renovação, nos sugeria louvar a ilimitada Misericórdia de Deus... E oramos, sem conseguir articular palavra.

25
Nova diretriz

5.1   Após internarem Desidério e Elisa em organização hospitalar, sob assistência afetuosa, Ernesto e Evelina retornaram, na tarde do mesmo dia, a São Paulo, desejosos que se achavam de consultar a posição íntima de Vera, ante a nova situação. Esclarecidos quanto ao futuro, em que a presença e a colaboração dela lhes seriam sobremaneira importantes à própria tranquilidade, identificavam-se no dever de ampará-la com mais calor de ternura.

A rendição de Desidério aos ideais renovadores que alentavam era igualmente um ponto fundamental no programa de trabalho a cumprir-se e esperavam reajustar as atitudes de Caio para que se lhes assegurasse mais ampla área de ação.

Encontraram Vera Celina marcada de lágrimas, apoiando-se em parentes e amigos.

Caio, taciturno, orientava o leme doméstico, dava ordens.

Estabelecido o cortejo fúnebre, os dois visitantes desencarnados, além de outros muitos amigos da Espiritualidade Maior, se instalaram no carro familiar, junto de Vera; entretanto, na chegada ao campo-santo,[25] Ernesto escorou a filha, ao mesmo tempo que Evelina seguiu o ex-esposo, que se figurava distrair-se em quadra próxima àquela em que os restos da viúva Fantini descansariam.

Serpa fugia intencionalmente. Não queria ver a inumação.[26]

Colhido em cheio pela influência da companheira que ele, antes, pouco mais de dois anos, levara ao sepulcro, pensava nela e, sem querer, lhe via mentalmente o semblante na tela da memória.

Não longe dele, Vera chorava nos braços dos amigos, enquanto ele mesmo, sorumbático, refletia, refletia...

Lembrava-se de quando deixara a mulher morta em outro cemitério, o da Quarta Parada,[27] rememorava-lhe a partida, revisava na imaginação os incidentes havidos...

Era crepúsculo, qual ocorria ali, em Vila Mariana. E as mesmas inquirições lhe vinham à cabeça...

A vida terminaria em montões de pedra e cinza? Para onde se transfeririam os mortos, na hipótese de continuação da existência? Onde estariam os pais que ele vira partir, nos dias da juventude? Em que região andaria Evelina, a esposa que amara desmedidamente na primeira mocidade, e de quem a enfermidade e a morte o haviam separado? Recordando-a, sentiu-se ligado a outra penosa reminiscência: Túlio Mancini... O coração se lhe arrochava e passou a indagar de si mesmo por que motivo se confiara à loucura de assassinar estupidamente o colega... O delito aflorou-lhe à memória com todas as minudências...

Propôs-se alijar as reflexões que lhe assomavam ao cérebro; no entanto, sentia-se incompreensivelmente fisgado ao pretérito.

---

[25] N.E.: Cemitério.
[26] N.E.: Sepultamento.
[27] Nota do autor espiritual: Cemitério da capital paulista.

5.3   Não podia perceber que Evelina, em espírito, ali estava, rente a ele, diligenciando acordá-lo para a verdade.

— Caio, que fazes da vida? — ela perguntou, docemente.

O advogado não registrou a indagação com os tímpanos corpóreos, mas ouviu-a na acústica da alma e julgou monologar: "Caio, que fazes da vida?!" Repetiu, inconscientemente, as palavras da companheira desencarnada, no ádito[28] da própria consciência, e passou a considerar que o tempo fugia sem que se desse conta de si mesmo... Em que valores permutara o patrimônio das horas? Em que recursos convertia a saúde e o dinheiro? Que bênçãos já teria espalhado com o título acadêmico que ostentava? Na condição de amigo, exterminara um companheiro; na posição de esposo, não tivera coragem de ser bom para a mulher, quando sitiada pela doença!...

O olhar se lhe esbarrou, sem querer, no ritual do sepultamento de Elisa, e inquiriu, de si mesmo, o que teria representado para a morta... Sinceramente, não se sentia bem consigo próprio, realinhando na imaginação a impaciência e a dureza com que sempre a tratara, preocupado em arrebatar-lhe a ternura da filha...

Avaliando as péssimas notas que a consciência lhe conferia no educandário da existência, embora de longe, fixou Vera, a esquadrinhar-lhe o íntimo, pelo semblante.

— Caio — assoprou-lhe Evelina aos ouvidos da alma —, pense nos teus compromissos... É tempo de legalizar a situação da jovem que se entregou a ti sem qualquer restrição...

Convencido de que conversava de si para consigo, Serpa reproduziu a interpelação, no campo mental, em silêncio, sem perceber que a esposa desencarnada lhe colhia as respostas. Supondo

---

[28] N.E.: Qualquer recanto secreto, reservado.

desenvolver tão somente um processo de autocrítica, monologou sem palavras: "Legalizar a situação com Vera? Casar-me? Por quê?".

Sim, aprovava, prometera-lhe matrimônio, mas não se resignava a aceitar a medida sem maior observação. Já fora homem preso a obrigações de marido e não se propunha a retomar afeição recheada a constrangimentos. Além disso, matutava, dava-se por homem robustecido na experiência do mundo. Escutara em sociedade muitas referências desprimorosas, ao redor da filha de Elisa, que não a recomendavam para esposa. De rapazes diversos, obtivera apontamentos que lhe enodoavam a ficha de mulher. Por que entregar seu nome a uma criatura tida por inconstante?

— Caio, quem és tu para julgar?

A interrogação de Evelina percutiu na alma dele em forma de ideia fulgurante que o enterneceu e assustou...

E qual se pensasse em voz alta, a falar espiritualmente para si próprio, recebia novas exortações, semelhando impactos da verdade a lhe atingirem o ádito do próprio ser:

— Caio, quem és tu para julgar? Não és igualmente de ti mesmo, alguém onerado com débitos escabrosos perante a Lei? A que título, condenar sumariamente uma jovem, prejudicada pelos enganos da sua condição de menina moralmente desamparada?!...

Na base das advertências que lhe eram endereçadas, prosseguia indagando-se... Seria justo abusar dela, agora que se via praticamente só no mundo? Se a desprezasse, para onde iria? E quem era ele, Caio Serpa, senão um homem no rumo da madureza, reclamando a dedicação de alguém para que o comboio da vida se não lhe descarrilasse? Conhecia ele toda a escala dos prazeres físicos e que lucrara finalmente com isso, se levava toda manifestação afetiva para o terreno da irresponsabilidade e do abuso? Que recolhera senão cansaço e desilusão das noitadas barulhentas, cheias de vozes e vazias de sentido? Até ali, que lembrasse, nunca ajudara ninguém. Sabia ser afável até o ponto em que as circunstâncias não o descontentassem. Bastava, porém, um ponto, um leve ponto a contrariá-lo, em quaisquer acontecimentos, para que se internasse nessa ou naquela escapatória, no claro intuito de não se incomodar. Não teria chegado o momento de auxiliar outrem, agir a favor de alguém? De começo, empenhado à conquista, cumulara Vera de gentilezas, carinhos. Enredara-lhe as atenções. Depois, o fastio daqueles que não mais sabem amar, quando a chama do desejo se lhes extingue na candeia da forma. Entretanto, não lhe era lícito negar que a moça lhe dera os mais altos testemunhos de confiança. Vera Celina se lhe entregara de todo. E, por fim, não vacilara humilhar a própria genitora, a fim de colocar-lhe nas mãos todos os bens...

5.5   Serpa registrava todos os argumentos da companheira desencarnada, à feição de uma lâmpada que se julgasse fonte da luz de que se beneficia, a ignorar que a recolhe da usina.

E opunha contraditas:

— Consorciar-me? Prender-me? Por quê? Não tenho toda a satisfação do homem casado, sem as peias do matrimônio?

E a voz de Evelina a ressoar-lhe novamente no espírito:

— Sim, és o elemento-comando da união; entretanto, como não te garantires contra as tentações do futuro, como não te imunizares contra as tuas próprias inclinações para a aventura, doando a ela — o elemento-obediência — a tranquilidade de que carece para servir-te? Acaso te julgas livre das tendências à leviandade que te assinalam o campo afetivo? Não será recomendável lhe assegures a paz, preservando a paz de ti mesmo, pela submissão às disciplinas justas da vida? Pensa! Imagina-te à frente de tua própria mãezinha, já que quase todo homem procura na esposa, acima de tudo, o apoio maternal que a madureza furtou da infância... Estimarias que um homem, na hipótese o teu próprio pai, lhe espancasse os mais puros anseios do coração?

Porventura não se tornaria ela mais digna do teu amparo e do teu carinho, se a visses brutalizada, desamparada, esquecida por aquele mesmo a quem se rendeu confiante? Por que alegares sofrimentos passados para menoscabar a criatura que amas, se semelhantes provações fazem dela alguém com mais acentuada necessidade de tua proteção e entendimento?!...

Das admoestações propriamente consideradas, a ex-senhora Serpa se transferiu para reflexões de otimismo e esperança:

— Caio, medita!... Vera não te confiou parcos recursos materiais à administração! Dispões de patrimônio apreciável para organizar uma família... Pondera quanto às bênçãos do futuro! Escuta! Creias ou não em Deus e na sobrevivência do espírito além da morte, carregas contigo um doloroso problema, até agora inarredável da mente: o remorso pelo homicídio praticado, a lembrança de Túlio Mancini, abatido por tuas mãos! Escapas, no rumo de prazeres que não te diminuem a mágoa, e tentas, em vão, bloquear reminiscências amargas que te assediam constantemente... Ser pai, cuidar de filhos queridos, não te será na Terra a mais elevada compensação? O matrimônio com Vera te investirá legalmente na posse de recursos a serem valorizados e aumentados, garantindo, aos filhinhos vindouros, segurança e conforto, alegria e educação!... Um lar, Caio!... Um lar, onde possas descansar, renovar-te, esquecer!... Filhos em que te revejas e o convívio de Vera, cuja presença te lembrará o refúgio maternal!...

Diante daquelas santas evocações de paz e ventura que jamais experimentara, pela primeira vez, depois de muitos anos, Serpa chorou...

Evelina continuava:

— Sim, Caio, lava o coração na corrente das lágrimas!... Chora de esperança, de júbilo! Confiemos em Deus e na vida!... O Sol que hoje se põe voltará amanhã! Contempla estas lousas, fita os sepulcros à frente! De todos os lados, explodem verdura e flor, a dizerem que a morte é ilusão, que a vida triunfa, bela e eterna!... De um outro mundo, os que te amam regozijar-se-ão com os teus gestos de entendimento! Túlio te perdoará, Elisa há de abençoar-te!... Coragem, coragem!...

5.7   O causídico, surpreso, incapaz de identificar-se visitado pelo Espírito da companheira de outros tempos, reconhecia-se subitamente consolado e eufórico, tangido por suave renovação, nos recônditos do ser.

À maneira de um doente que encontrara o remédio providencial e a ele se agarrasse, na sede da própria cura, instintivamente decidiu-se a não perder o precioso momento de exaltação construtiva em que entrara.

— Vamos!... — insistiu Evelina. — Concede agora, mas claramente agora, a nossa Vera a certeza de que a protegerás num casamento digno!...

Sucedeu o inesperado.

Habitualmente agressivo e rebelde, Caio Serpa arrancou-se, humilde, do lugar em que se plantara, avançou, sempre abraçado pelo Espírito da ex-esposa, na direção do grupo em que a jovem se apoiava... Ali, de pensamento conjugado ao da mensageira espiritual, observou a moça sob novo prisma. Pareceu-lhe que começava a amá-la de maneira diversa. Viu-a mais cativante na dor que demonstrava, percebeu-lhe a solidão e a sede justa de companhia. Às súbitas, reconheceu-se também só, a requisitar-lhe mais intensivamente a dedicação e o carinho para viver.

Já não sabia, naquele inolvidável instante, se a queria com a impertinência de um homem ou com a ternura de um pai...

Abordando-a, tomou-lhe o braço, de leve, e comunicou-lhe, em voz alta, no propósito de alicerçar a própria declaração com o testemunho dos amigos presentes!

— Vera, não chore mais... Você não está sozinha! Amanhã mesmo, cogitaremos de organizar a documentação precisa para casar-nos tão breve quanto possível!

A interpelada lançou-lhe um olhar significativo e agradecido... E enquanto ambos se escoravam um no outro para o retorno a casa, Evelina e Ernesto, com os amigos desencarnados atentos às derradeiras homenagens à viúva Fantini, entravam em prece, agradecendo ao Senhor a bênção daquela transformação.

Mais um passo importante estava articulado para o futuro melhor...

Caio e Vera levantariam um lar com o amparo divino. Túlio Mancini ressurgiria para a Terra no tronco daquele mesmo que lhe subtraíra a existência, satisfazendo a lei do amor que determina sejam o ódio e a vingança para sempre banidos da obra de Deus!... Mais tarde, Elisa se lhes reuniria por filha bem-amada!... Caio se reconfortaria e certamente seria outro homem, ao ver-se continuado na posteridade feliz, sob o olhar carinhoso de Vera, que o amava ardentemente...

Evelina cismava em tudo isso, incapaz de sofrear o pranto de júbilo... Continuava amando o ex-esposo, porém, noutro nível, e, com toda a alma, agradecia ao Senhor a existência de Vera Celina, a quem passara a reverenciar e querer bem, na condição de protetora, cujos serviços se manteriam para ela irresgatáveis.

Em transporte de alegria, correu ao encontro dos noivos e, antes que Serpa se aboletasse no automóvel, junto da companheira, abraçou-o, reconhecida, e, pela primeira vez, bradou-lhe ao coração com a celeste emotividade do amor purificado a labaredas de sofrimento:

— Caio, meu filho! Meu filho... sê feliz e que Deus te abençoe!...

Em seguida, inclinou-se para Vera e beijou-lhe a mão com enternecimento indescritível.

5.9   O auto rodou, de volta.

Evelina e Ernesto, por longo tempo, ainda se demoraram em oração, no tranquilo santuário da morte, transfigurado ali para os dois em pouso de reconhecimento e alegria, ante as primeiras estrelas que começavam a luzir na selva da noite, quais lanternas de fogo e prata, clareando o caminho para Deus, a pleno céu azul.

26
E a vida continua...

6.1   O matrimônio de Caio e Vera trouxe a Ernesto e Evelina nova fonte de incentivo ao trabalho.

Túlio, algo melhor ante as promessas de futura assistência por parte daquela a quem amava tanto, concordou em matricular-se voluntariamente no Instituto de Serviço para a Reencarnação,[29] internando-se, de pronto, num dos gabinetes de restringimento, entregando-se aos aprestos necessários.

Antecedendo, porém, a medida, certa noite, em que Serpa se ausentara do lar, foi levado à presença de Vera, para familiarizar-se, de algum modo, com aquela que o receberia nos braços de mãe.

Ao vê-la na costura, em sua casa da Vila Mariana, o moço, de imediato, simpatizou com ela. Viu-lhe o semblante meigo, os olhos serenos de criatura sofrida, as mãos ágeis na tarefa, e respirou-lhe, encantado, o ambiente tranquilo.

---

[29] Nota do autor espiritual: Organização do Plano Espiritual.

Recomendou-lhe Evelina para que a abraçasse, nela venerando a protetora que o abençoaria por filho, em nome de Deus... Mancini não apenas se confiou ao amplexo carinhoso, como também lhe osculou a fronte, enternecidamente.

A filha de Ernesto não percebeu aquela manifestação afetiva, em sentido direto; no entanto, por alguns momentos, deixou que o cérebro divagasse feliz.

"Como desejava obter um filhinho!..." — pensou. "Quanto anelava ser mãe!..." Aguardava essa bênção do Todo-Misericordioso que, decerto, não a esqueceria!... Por outro lado, não ignorava que o esposo ansiava acolher um herdeiro para o futuro e, por isso, nos sonhos que entremostrava, desperta, rogava conscientemente a Deus um menino!...

À medida que as doces prefigurações da maternidade se lhe esboçavam no imo da alma, sintonizava, mais intensamente, com Túlio, na mesma onda de esperança e regozijo, ambos experimentando santo prelúdio de inenarráveis alegrias...

Ao separar-se dela, às despedidas, formulou ele a pergunta esperada: quem lhe seria o genitor? A quem chamaria por pai?

Evelina, porém, deu-se pressa em explicar que o dono da casa se achava distante e que ele, Mancini, o conheceria em momento oportuno.

Na base da verdade prometida, Túlio renasceria de Caio Serpa, absolutamente magnetizado pelo devotamento materno, a fim de se reaproximar do antigo adversário e metamorfosear ressentimento em amor, pela terapêutica do esquecimento.

Ante as realizações em processo, o tempo para Fantini e a companheira jazia repleto de obrigações agradáveis e belas. Auxílio constante a Mancini, Caio e Vera, na formação do novo porvir, e amparo infatigável a Elisa e Desidério, convenientemente hospitalizados.

Ernesto, renovado pelo sofrimento, como remoçara, enquanto que Evelina, modificada pelas novas experiências, parecia haver amadurecido, qual se os dois houvessem combinado operar um reajuste da forma, com vistas à harmonização em nível de idade semelhante de um para o outro. Comungavam as mesmas ideias, partilhavam os mesmos serviços.

26.3   Impressionado com aquela conciliação gradativa, a surgir mecanicamente da associação sempre mais ampla e mais íntima dos dois, na obra da própria edificação espiritual, Ernesto procurou o instrutor Ribas, inquirindo, respeitoso, se lhe seria cabível conhecer o passado, sem mais delongas, reavendo a memória de outras existências, ao que o mentor informou, sensato:

— Não, Fantini. Desaconselhável a providência, conquanto possível. Você e Evelina estão abraçando longa empresa de serviço em nosso plano. Terão muitos problemas a resolver, muito trabalho a realizar... Desidério, Elisa, Amâncio, Brígida, Caio, Vera, Túlio, Evelina e você formam uma equipe de corações comprometidos uns com os outros, perante as Leis de Deus, há muitos séculos... Todos reciprocamente enlaçados no clima da provação, lembrando elementos químicos em cadinho fervente para o acrisolamento indispensável!... Outros componentes do grupo chegarão com o tempo para a vitória geral sobre os alicerces do amor que ainda vem muito ao longe!... Integramos, eu também com vocês, uma grande família... E num sorriso amistoso:

— Somos aqui milhares de criaturas nas mesmas condições, trabalhando e batalhando por nossa redenção, começando pelo aperfeiçoamento de nós mesmos, nos recessos do mundo individual.

— Na Terra, não formulamos ideia do volume de obrigações que nos espera depois da morte...

— Sem dúvida. Toda construção nobre há que ser dirigida. Primeiro, o projeto; em seguida, a execução... No plano físico, idealiza-se a continuação da vida, no mundo espiritual... No mundo espiritual, idealizam-se a correção, o reajuste, a melhoria e o polimento dessa mesma vida, no plano físico. Somos viajores do berço para o túmulo e do túmulo para o berço, renascendo na Terra e na Espiritualidade, tantas vezes quantas se fizerem precisas, aprendendo, renovando, retificando e progredindo sempre, conforme as Leis do Universo, até alcançarmos a perfeição, nosso destino comum...

— Isso quer dizer que, de futuro, talvez Evelina e eu venhamos a renascer, entre os homens, daqueles mesmos Espíritos, em cuja aproximação estamos colaborando...

— Quem sabe? Isso é mais que possível, por obviamente natural...

O orientador ainda não havia articulado o esclarecimento de todo, quando Ernesto aventou, tímido, qual jovem que estivesse abrindo o coração diante da autoridade paternal:

— Instrutor Ribas, Evelina e eu temos refletido, refletido...

Fantini, receoso, não conseguiu terminar o enunciado. Foi o próprio Ribas que lhe completou a exposição, carregando as palavras de bom humor:

— Já sabemos, Fantini, vocês dois pensam num casamento compreensível e digno, conscientes agora da imensa obra de transformação e burilamento que estarão dirigindo, por muito tempo, no grupo espiritual a que se vinculam.

— O senhor vê algum impedimento?

— Absolutamente, uma vez que, tanto Elisa quanto Caio já dispensaram vocês de qualquer compromisso afetivo...

Fantini, acanhado, se dispunha a prosseguir, mas um auxiliar do Instituto veio chamá-lo, com urgência, para custodiar Evelina, de viagem para a esfera física, em ação de assistência a Vera, já em avançado processo de gravidez.

Despedindo-se, o mentor afirmou-lhe, satisfeito:

— Esteja tranquilo, Ernesto. Pensaremos no assunto.

Os dias de Fantini e da companheira rodavam em plenitude de serviço. Pouco a pouco, percebiam quantos deveres precisavam aceitar para assegurarem um renascimento relativamente tranquilo a um Espírito enfermo, qual Mancini, que requisitava cuidado incessante, para que o aborto não repontasse em prejuízo geral. Observavam que em milhares de outros casos não cabiam preocupações assim tantas. Entidades acomodadas ao mundo carnal ajustavam-se ao processo reencarnatório, com a simplicidade da mão quando se adapta a uma luva. Noutras situações, as criaturas de regresso à esfera física, dispunham de tanta elevação que a presença delas, só por si, não apenas estabelecia distância aos Espíritos infelizes, como também bastava para propiciar sossego à mente materna... Túlio, porém, não estava entre aquelas criaturas que tão somente tocam, de leve, as forças do espírito para se refestelarem, de modo quase que absoluto, nos prazeres e mecanismos do mundo físico, nem alcançara, ainda, a condição daquelas outras que simplesmente tocam na matéria grosseira tão só buscando energia para se sustentarem, acima de tudo, nas tarefas e operações do mundo espiritual. Nem pisava o início do monte de elevação, nem lhe atingira os degraus mais altos. Era um homem de cultura e virtude medianas, com aguçada sensibilidade à mostra, em função de sua própria necessidade de burilamento, à vista de débitos contraídos em outras existências.

6.5 Quaisquer choques no ambiente materno induziam-no à irritabilidade e quaisquer dificuldades pequeninas impediam-no a indisposições lamentáveis.

Certamente que se demorava em sono terapêutico no laborioso tratamento para *a volta criteriosamente vigiada ao campo terrestre*, a que na arena dos homens se dá sumariamente o nome de *gravidez*, como se gravidez, em definição tão rápida e simplista, fosse acontecimento insignificante e igual para todos os *reencarnandos*, com repercussões análogas para as mães que os hospedam; importa reconhecer, porém, que o sono terapêutico do Espírito, conjugado ao desenvolvimento fetal, se caracteriza por graus diversos e, por isso, nem sempre raia pela inconsciência total.

Empreendimentos e obrigações se avolumaram, em benefício de Mancini, até o dia em que lhe ouviram os primeiros vagidos no berço, entre êxtase de Vera e a emoção de Caio, maravilhados com o filhinho...

Túlio varara a grande barreira entre os dois mundos e, daí em diante, reclamaria cuidados de outro tipo.

Reconfortados e felizes com a execução gradual do programa estabelecido, Fantini e a companheira se acharam de espírito voltado para questão que se lhes impunha de imediato: o retorno de Desidério à experiência carnal.

Era necessário instalá-lo no sul paulista, em casa de Amâncio, segundo o esquema do Instituto.

Os dois amigos passaram às entrevistas preparatórias. Proposições e debates. Desidério dos Santos pedia, exigia, queixava-se... E, no fundo, não se lhe podia dar, de pronto, a extensão total da verdade, quanto ao porvir próximo, para que não a desacatasse com dúvidas injustificáveis ou desconsiderações prematuras. Cabia-lhe saber que era forçoso retomar o corpo terrestre e prometia-se-lhe a ida de Elisa, algum tempo depois dele, a fim de que se reencontrassem no domicílio dos homens, mas, no roteiro traçado, se lhe proibia a antecipação de informes acerca do refúgio doméstico em que se lhe outorgaria a nova oportunidade. Merecia a bênção da reencarnação; contudo, não lhe era lícito complicar ou desprimorar as situações, em que as autoridades do plano superior, sempre sábias e generosas, lhe assegurariam a concessão. Competia-lhe, sobretudo, defrontar-se com Amâncio e Brígida, tanto quanto os dois, já amadurecidos nas lides humanas, deveriam arrostá-lo em casa, para adquirirem a luz do amor recíproco, em regime de esquecimento do passado, de maneira a consolidarem os méritos que já possuíam perante a Lei.

26.7   Desidério, no entanto, não era fácil de contentar. Interpunha recursos e alegava direitos, nas questiúnculas intercorrentes, que a filha, assessorada por Ernesto, se esmerava em aprovar, tanto quanto possível, angariando-lhe apreço, aceitação, cobertura e carinho.

Quando o tempo marcou precisamente um ano sobre a desencarnação da viúva Fantini e quando Túlio Mancini, em novo renascimento, orçava aproximadamente dois meses de idade, Desidério deu por terminadas as exigências para o regresso pacífico ao mundo carnal, com exceção de uma só: queria rever Elisa e conversar com ela, inteiramente a sós, de modo a entreterem projetos para o futuro.

Encaminhada a solicitação ao exame de Ribas, o instrutor aprovou o requerimento e, conduzido o peticionário às dependências onde Elisa, agora lúcida, se demorava convalescente e tranquila, puseram-se os dois em palestra íntima, plenamente isolados, num *tête-à-tête* que perdurou por dez horas consecutivas.

Nada transpirou do que ambos confidenciaram entre si, naquele primeiro e último encontro, no mundo espiritual, antes da reencarnação; no entanto, algo ocorreu de inesquecível. Desidério voltou às instalações que lhe eram próprias, tocado de novo brilho no olhar. Desapareceram nele os ressentimentos e as interrogações. Mostrou-se, desde então, paciente e respeitador.

Concomitantemente, a ex-senhora Fantini rogou o amparo de Evelina para internar-se em algum educandário, a fim de estudar os problemas da alma e reeducar-se, quanto lhe fosse possível, antes de retomar o envoltório terrestre. Informada de que partiria para a existência vindoura, daí a três anos, para reencontrar Desidério no mundo, sob a proteção dos benfeitores que ali os acolhiam, ansiava aprender, preparar-se e melhorar-se, ciente qual se achava de que todos os valores conquistados na Espiritualidade Maior se transformam em mais dilatados recursos de apoio e colaboração, para aqueles que os evidenciem, seja onde seja.

Evelina anuiu satisfeita.

Nos três anos que lhe antecederiam o retorno ao próprio lar terreno, na condição de filha do casal Serpa, Elisa estaria internada em colégio adequado às suas necessidades, sob custódia e responsabilidade da filha de Desidério, cujos créditos e méritos aumentavam sempre no Instituto a que soubera dedicar-se e servir.

Quem poderá medir a força colocada por Deus nos prodígios do amor?

Recolhido Desidério aos gabinetes de restringimento para a reencarnação, concluíram as autoridades que não lhe seria proveitoso o conhecimento prévio do lar em que lhe cabia renascer, porquanto a condição de enjeitado haveria de compeli-lo a mergulho mais profundo no passado para a revisão de existências outras, em que fizera jus à prova em perspectiva, e não seria útil imergi-lo em avançados processos de memorização.

Felizmente, após a entrevista com Elisa, patenteava-se calmo, confiante, aceitando todas as promessas que se lhe formulavam.

Por outro lado, Ribas e os companheiros categorizavam-lhe a volta ao convívio de Amâncio e Brígida, sem que os antigos associados de luta precisassem esperar por ele em futura reencarnação, por valioso ganho de tempo, com o amparo da Providência Divina.

Situava-se, desse modo, nos serviços de introdução ao renascimento no plano carnal, quando o instrutor Ribas convidou Fantini e a companheira para tomarem contato com a senhora humilde e simples que seria para Desidério a benemérita genitora. Competia-lhes assisti-la e auxiliá-la, quanto possível, na gravidez próxima e orientar o encaminhamento do amigo renascido ao lar dos Terra, já que entre as colaboradoras e obreiras do Instituto, reencarnadas nas vizinhanças de Brígida, fora ela quem aceitara a incumbência de recebê-lo nos braços maternais, não obstante a penúria que lhe marcava a existência.

6.9   Evelina e Fantini apanharam informes rápidos acerca daquela a quem passariam tanto a dever.

Tratava-se de mulher jovem, esposa de um lavrador que a tuberculose devorava, e mãe de quatro filhinhos em constrangedoras necessidades. Ela mesma, dona Mariana, como era conhecida, já se achava em condições orgânicas deficitárias, sentenciada a contrair a moléstia, embora a tuberculose não assuma, na atualidade, entre os homens, a periculosidade que se lhe atribuía em outros tempos. Sucede, porém, que tanto o esposo quanto ela própria estavam encerrando valioso ciclo de provas regeneradoras no mundo e não conseguiriam sustentar-se, na frágil armadura de carne, por muito tempo. Desidério ser-lhes-ia o rebento derradeiro, antes da desencarnação, e aos dois amigos espirituais, erigidos ao encargo de guardiães, caberia o santo dever de criar as circunstâncias pelas quais o recém-nado entrasse no lar do velho casal Terra, na posição de filho adotivo.

Noite alta no plano físico...

Mariana, em desdobramento espiritual por intermédio do sono comum, penetrou a sala em que Ribas e os amigos a esperavam.

Escoltada carinhosamente por um mensageiro, a recém-chegada não poderia apresentar-se de maneira mais simples.

Ao defrontar-se com os benfeitores, deteve-se perante Ribas, com a lucidez que lhe era possível, e, magnetizada talvez por aquele olhar brando e sábio, ajoelhou e pediu-lhe a bênção.

O mentor, recalcando a emoção de que fora tangido, afagou-lhe a fronte, rogou a Jesus para que a protegesse e recomendou:

— Levante-se, Mariana, temos algo a conversar...

Ao vê-la convenientemente sentada, o orientador apresentou-lhe Evelina e Ernesto, demorando-se, todavia, a salientar Evelina, a fim de que ela lhe guardasse mais vivamente a figura na tela da memória, quando tornasse ao corpo denso:

— Esta é a irmã que velará por você na próxima gravidez. Por favor, Mariana, esforce-se para retê-la na lembrança!...

A interpelada fitou-a com simpatia e implorou:
— Anjo de Deus, compadecei-vos de mim!...
A filha de Brígida, emocionada, retificou, de olhos úmidos:
— Mariana, não sou um anjo, sou apenas sua irmã.

A jovem mãe, cujo corpo descansava no mundo de matéria grosseira, como que espiritualmente muito distante da formosa paisagem doméstica a que se acolhia, para deter-se tão só na alegria de ser útil, voltou-se para Ribas, com quem já tivera entendimentos anteriores, e notificou, tomada de apreço filial:

— Meu pai, cumprirei a vontade de Deus, recebendo mais um filho, e aguardo a vossa proteção. Joaquim, meu esposo, está mais fraco, mais doente... Lavo e passo, trabalho quanto posso, mas ganho pouco... Quatro filhos pequenos!... Ignoro se já sabeis, mas nosso barraco não está resistindo às chuvas... Quando o vento atravessa as paredes rachadas, Joaquim piora, tosse muito!... Não estou a queixar-me, meu pai, mas peço o vosso auxílio!...

— Oh! Mariana — respondeu o mentor, sensibilizado —, não tema! Deus não nos abandona! Seus filhinhos serão sustentados e, muito em breve, você e Joaquim estarão numa casa grande...

— Confio em Deus e em vós!...

Não sabia a devotada criatura que o instrutor se reportava à próxima desencarnação do casal, quando, por merecimento genuíno, teriam os dois cônjuges novo domicílio na vida maior.

Mariana voltou, agora custodiada também por Evelina e Fantini, à rústica habitação que o vento castigava e, retomando o corpo, o coração bateu-lhe descompassado, ante o júbilo que se lhe represava no peito, e acordou o marido:

— Joaquim!... Joaquim!...

E, enquanto ele, estremunhado, articulava monossílabos:

— No sonho, acabei de encontrar o velho que já vi outras vezes... Ele disse que vamos ter mais um filho!...

— Que mais?
— Disse que nós dois vamos ter uma casa grande...
Ele riu-se e aditou, ignorando que abordava a realidade:
— Ah minha mulher!... Casa grande? Só se for no *outro mundo*!...
Os visitantes desencarnados sorriram...
Evelina, emocionada, compreendeu que Joaquim não se deteria muito tempo na Terra e, em prece ao Senhor, a rogar-lhe forças multiplicadas, prometeu a si mesma não repousar enquanto não ligasse Mariana a Brígida, sua querida genitora, para que os derradeiros dias daquele pouso de sofrimento fossem lenificados pelo sol da beneficência.
Transcorridos dois dias sobre o singular contato, a enteada de Amâncio, amparada em Fantini e com permissão das autoridades superiores, sediou-se na mansão do padrasto e pôs-se a influenciar o coração materno, com vistas à realização esperada. Deu-lhe sonhos com o pequenino que lhe chegaria aos braços, povoou-lhe as reflexões com ideais de caridade e esperança, sugeriu-lhe leituras renovadoras, inspirou-lhe conversações com o marido quanto ao futuro que Deus iluminaria com a presença de um filhinho adotivo e, pela primeira vez, na casa senhoril, apareceu o hábito regular da prece, porquanto Brígida, ante a doce atuação da filha, conseguiu que o esposo lhe compartilhasse as orações, todas as noites, no preparo do sono, ao que Amâncio aquiesceu com bonomia e estranheza. Espantado, notava ele o fervor da mulher, a inflamar-se de amor ao próximo, e, porque fosse, de si mesmo, devotado à prática da solidariedade humana, encorajava-lhe os rasgos de altruísmo.
Planeavam, planeavam...
Se Deus lhes enviasse um filhinho adotivo, tratá-lo-iam com todas as reservas de amor que conservavam no coração, procurariam analisar-lhe as inclinações para lhe propiciarem

trabalho digno e, quando crescesse, realizariam um sonho de muito tempo: transfeririam residência para São Paulo, uma vez que assim lograriam educá-lo com esmero... Solicitariam, para isso, a cooperação de Caio, o genro de outro tempo que se casara em segundas núpcias e que continuava amigo, conquanto lhes escrevesse apenas em ocasiões especiais... Se obtivessem um filhinho... E os projetos repontavam, sempre mais vivos e mais belos, daqueles dois corações amadurecidos na experiência.

Quatro meses haviam transcorrido sobre a nova situação, quando, numa ensolarada manhã, em que os velhos cônjuges haviam palestrado com ênfase acerca de assistência às mães desvalidas, eis que Mariana, cuja residência se erguia a quatro quilômetros, trazida espiritualmente por Evelina, bateu à porta...

Por solicitação de prestimosa servidora, Brígida veio atender.

Enlaçada, de imediato, pela filha, a fazendeira ouviu a recém-chegada, com simpatia.

Mariana implorava trabalho. E relacionou em voz triste alguns pedaços da própria história. Engravidara-se de novo, embora já tivesse quatro filhinhos... Achava-se, porém, sem recursos, com o marido muito doente...

Sem explicar-se quanto ao motivo de tanta e tão súbita compaixão, a senhora Terra deu-lhe algum dinheiro e prometeu visitá-la em pessoa, naquele mesmo dia, logo que o esposo voltasse do serviço para o descanso caseiro.

Evelina exultava de alegria e confiança.

Amâncio não regateou atenções ao pedido da companheira e, ao crepúsculo, ei-los juntos na habitação paupérrima. Condoídos ambos, providenciaram a remoção da família em penúria para estreito, mas confortável, domicílio, na gleba que cultivavam.

Qual se houvesse encontrado, por fim, todo o socorro a que mais aspirava, antes que o quinto filhinho viesse à luz, Joaquim demandou a Espiritualidade, louvando os benfeitores...

E a vida continua... | Capítulo 26

Mariana, desde muito enfraquecida, adoeceu gravemente. Viúva, agora, apelou para a cooperação de familiares humildes e entregou-lhes os quatro órfãos na previsão da morte próxima...

Brígida, atônita, ante a crise que se agravava, a identificar-se cada vez mais ligada à pobre irmã em penúria, transferiu-a para a própria casa, onde Desidério, reencarnado, abriu, por fim, os olhos para a existência terrestre, de novo.

Na íntima convicção de que se houvera desencarregado de seu último e sagrado dever, Mariana colocou nos braços dos protetores a criancinha ansiosamente esperada e desencarnou cinco dias depois!...

Benfeitores desencarnados acolheram a piedosa mãe, ao mesmo tempo que osculavam o pequenino... Misturavam-se ali, na mansão cercada de flores, o adeus e a chegada, a tristeza da morte e a alegria da vida!... A fazendeira chorava e ria, Amâncio meditava, tocado de emoções e ideias renovadoras... Ernesto e Evelina, em preces de jubilosa gratidão, perante a misericórdia da Providência, notavam, surpresos, que tanto para Mariana, no esquife, quanto para Desidério, no berço, enviava Deus a bênção de novo dia!...

***

À noite, pequena carruagem voadora, em forma de estrela irisada, depunha Fantini e a companheira na cidade que lhes servia de residência.

Aí chegados, demandaram o Instituto de Proteção Espiritual, em cujas dependências almas carinhosas e amigas atiravam-lhes flores. Lampadários inflamados de luz policrômica cercavam todos os edifícios, assinalando-lhes as filigranas de arquitetura a jorros de beleza.

A casa festejava os dois obreiros que haviam sabido vencer, com devotamento e humildade, os tropeços iniciais do levantamento de bem-aventurado futuro!...

Rodeado de assessores, Ribas saudou-os no limiar e, tomando-os nos braços, como a filhos queridos, ergueu os olhos para o Alto e rogou, comovidamente: **26.1**

Senhor Jesus, abençoa os teus servos que se consagram hoje um ao outro em sublime união!... Ilumina-lhes, cada vez mais, os anseios transfigurados para o teu Reino, pela abnegação com que souberam esquecer dificuldades e agravos para se deterem tão somente no auxílio aos companheiros de caminhada, ainda mesmo quando esses companheiros lhes apunhalassem os corações!... Ensina-lhes, oh, Mestre, que a felicidade é uma obra de construção progressiva no tempo e que o matrimônio deve ser realizado, de novo, todos os dias, na intimidade do lar, de maneira que os nossos defeitos se extingam, nas fontes da tolerância recíproca, a fim de que as nossas almas encontrem a perfeita fusão, diante de ti, aos clarões do amor eterno!...

Silenciava o instrutor, enquanto Ernesto contemplava o rosto da companheira marejado de lágrimas...

Do alto, choviam pequeninas grinaldas azuis, lembrando safiras que se eterizassem, radiosas, propiciando ao casal venturoso a certeza de que os planos superiores lhe endossavam os compromissos, e de ângulos ocultos da paisagem vinham melodias de ternura, emoldurando palavras de confiança, em que a sabedoria do Universo confirmava a perpetuidade da Misericórdia de Deus na vida que, em toda parte, continua sempre mais bela, plena de grandeza, a santificar-se pelo trabalho e a inundar-se de luz.

Índice geral[30]

A

Aborto
 Evelina Serpa e * terapêutico
  – 1.2, 10.6
 mães solteiras banidas
  do lar – 23.11

Abúlico
 significado da palavra
  – 16.6, nota

Ádito
 significado da palavra
  – 25.3, nota

Alma
 residência ancestral – 12.6
 sentimentos na residência
  ancestral – 12.6

Ambrósio
 acolhimento de Túlio
  Mancini no lar – 14.1
 culto do Evangelho no lar
  – 13.1, 13.6, 13.7
 orientação espírita-cristã – 13.8

Amor
 afeição inesquecível e
  * eterno – 17.3
 afinidade – 17.3
 amor puro e * conjugal
  – 17.5, 17.6
 dor de consciência e *
  equilibrado – 15.2
 encontro do * ideal – 17.3
 soerguimento através do
  * universal – 15.7
 transição do * narcisista para o
  amor desinteressado – 15.2

Animalidade
 oscilação do homem entre *
  e humanização – 15.3

Atreita
 significado da palavra – 5.7, nota

---

[30] N.E.: Remete à numeração presente à margem das páginas.

Índice geral

B

Balázio
 significado da palavra
  – 20.4, nota

Bem
 esquecimento do mal e
  prática – 23.11

Boleeiro
 significado da palavra – 2.1, nota

Brígida, dona
 Amâncio Terra, segundo
  esposo – 20.6, 21.10
 Desidério, primeiro esposo
  – 20.6, 21.10
 lançamento da ideia-semente
  no coração – 22.7
 mãe de Evelina Serpa –
  4.6, 26.10, 26.11
 reencarnação de Desidério
  como filho adotivo – 22.7-
  22.9, 26.9, 26.13
 saudades de Evelina – 21.8

C

Campo santo
 significado da expressão
  – 25.1, nota

Campos, Alzira
 asilo de loucos – 7.2
 assistência de irmã Letícia – 7.2
 clarividência, reencarnação – 7.5
 declaração que se encontram
  mortos – 6.7, 8.3
 fluência das ideias – 7.3
 informação sobre cidade
  populosa – 7.3
 vida espiritual diferente – 7.3
 visita de * à Evelina e
  Fantini – 7.1
 visita de * à Nicomedes – 7.4

**Caravana de fraternidade
e socorro**
 Cláudio, irmão, presidente
  – 13.1, 13.5
 Ernesto Fantini – 13.1
 Evelina Serpa – 13.1

Carteira de identificação
 necessidade da * para serviços
  de amparo – 9.8

**Casa Consagrada ao Culto de
Nosso Senhor Jesus Cristo**
 templo religioso no Mundo
  Espiritual – 12.3

Casamento
 manifestação do amor – 17.3
 realização diária do * na
  intimidade do lar – 26.14
 reatamento do * no plano
  espiritual – 17.4, 26.14

Cassação
 talentos frustrados – 13.7

Celina, Vera
 atual companheira de Caio
  Serpa – 18.7, 20.9
 Caio, noivo – 25.8
 considerações de * sobre seu
  pai e sua mãe – 19.3
 filha de Ernesto Fantini e Elisa –
  16.3, 18.10, 19.4, 19.7, 20.9
 gravidez de * e cuidados
  especiais – 26.4
 promessa de casamento
  de Caio – 25.8

reencarnação de Elisa
  como filha – 22.6
reencarnação de Túlio como
  filho primogênito – 22.6
Túlio Mancini visita a
  futura mãe – 26.1

Charrete
  criatura humana – 2.2
  espiritualismo e simbologia – 2.2
  morte, desencarnação e
    simbologia – 2.2
  sono físico e simbologia – 2.2

Cláudio
  caravana de fraternidade e
    socorro – 13.1, 13.5
  Celusa Tamburini, Sra. – 9.2
  departamento da vida
    espiritual – 9.3
  encontro de cultura
    espiritual – 8.4
  Instituto de Ciência do
    Espírito – 8.1, 8.4, 13.1
  regiões tenebrosas ou
    infelizes – 9.6

Confissão
  contraveneno – 2.5
  padre católico – 9.7

Consciência
  amor equilibrado e dor – 15.2
  culpa e dor – 15.2
  livre-arbítrio – 11.2

Corina
  filha de Nicomedes – 7.4
  retorno da mãe – 7.4

Corpo espiritual *ver* Perispírito

Corpo físico
  finalidade – 11.2, 15.6

nova imersão – 11.3
plástica cirúrgica – 11.3
quanto custa e como custa
  o tesouro – 15.6
simbologia da charrete – 2.2, 2.3

Crisíaca
  significado da palavra – 1.2, nota

Culto do Evangelho no lar
  Ambrósio – 13.1
  chegada de Espíritos
    zombeteiros – 13.8
  orientação espírita-cristã – 13.8
  Priscila – 13.1

D

Dedé *ver* Desidério dos Santos

Desencarnação
  agravamento do
    desequilíbrio – 11.4
  cursos preparatórios de
    entendimento – 11.6
  estado de tribulação – 11.4
  memória profunda – 11.2
  retorno ao ambiente natural
    do Espírito – 11.1
  simbologia da charrete – 2.2, 2.3

Destino
  conceito – 15.7

Deus
  Amor Universal – 15.7
  ideia do castigo – 11.4
  justiça de * e misericórdia – 11.8

Diálogo terapêutico
  aplicação – 16.2

Índice geral

Ditirambos
  significado da palavra
  – 16.2, nota
Divina Providência
  aplicação dos tesouros
  do tempo – 12.5
Divino Mestre *ver* Jesus
Dor
  bendita * perante Deus – 24.4
  medida da noção de
  responsabilidade e
  * moral – 10.5

E

Encarnação
  burilamento – 11.3
  condição do Espírito
  dispensado – 13.3
  realização do bem ou do
  mal no período – 13.6
  sinais morfológicos – 11.3
Erraticidade
  cansaço da * nas sombras
  da mente – 13.6
  escolha das provas e do
  corpo físico – 13.6
Esfera do Espírito *ver*
  Mundo Espiritual
Esperança
  pensamento de Shakespeare – 3.4
Espírito
  renascimento – 8.6
  simbologia da charrete – 2.2, 2.3
Espírito desencarnado
  burilamento moral – 14.3
  hábitos e enganos da
  experiência carnal – 12.5
  padronização – 9.4
  sofrimentos e conflitos do *
  em regiões inferiores – 9.5
Espírito encarnado
  livre-arbítrio – 11.2
  padronização – 9.4
  trânsito da poligamia para
  a monogamia – 15.3
Espírito livre
  retomada da memória
  do tempo – 11.1
Espírito vingador
  Desidério dos Santos – 20.1
Espírito zombeteiro
  culto do Evangelho no lar
  e chegada – 13.8
Espiritualismo
  estudo do * à maneira
  do viajante – 2.4
  simbologia da charrete – 2.2, 2.3
Evolução
  caminhada de retorno
  para Deus – 21.6

F

Família
  correção das afeições
  transviadas – 24.9
Fantini, Elisa
  Caio Serpa, procurador – 23.4
  conversa com Ernesto
  Fantini, Espírito – 19.7
  desencarnação – 22.6, 23.10

Índice geral

Desidério dos Santos e
    libertação – 24.10
Desidério dos Santos, obsessor
    – 19.7, 20.3, 20.7
encontro com Desidério no
    Mundo Espiritual – 26.7
esposa de Ernesto Fantini – 16.3
fraterno socorro de
    Ernesto – 22.1
internação de *, Espírito,
    em colégio – 26.8
internação de *, Espírito,
    em hospital – 25.1
internação de * em clínica
    de saúde mental – 22.3
mediunidade torturada – 22.3
previsão de matrimônio entre
    Desidério – 22.9, 24.10, 26.7
previsão para a
    desencarnação – 22.6
previsão para a
    reencarnação – 22.6,
    25.1
reencarna como filha de
    Caio Serpa – 26.8
sogra de Caio – 22.3
visualização de Ernesto
    Fantini, Espírito – 19.7

Fantini, Ernesto
    acolhimento de * no Instituto de
        Proteção Espiritual – 10.2
    admissão à caravana de
        Cláudio – 13.1
    aparelhos engraçados,
        raios à cabeça – 6.4
    autobiografia – 16.5
    autocorrigenda na vida
        depois da morte – 23.2
    banhos terapêuticos – 8.1

casamento de *, com Evelina
    Serpa – 26.4, 26.14
certeza da morte do
    corpo físico – 14.2
cirurgia difícil – 1.4
Cláudio, Instituto de Ciência
    do Espírito – 9.1
conversa de Desidério,
    Espírito – 20.1
conversa pelo idioma do
    pensamento – 14.4
desequilíbrio agravado – 11.4
Elisa Fantini, esposa – 16.3
encontro de * com Evelina – 1.4
estado de tribulação – 11.4
estrutura psicológica,
    imunização – 11.5
Evelina Serpa e
    esclarecimentos – 21.3
ficha de identificação – 11.3
fraterno socorro para
    Desidério e Elisa – 22.1
gravação da palestra de *
    com Ribas – 11.1
ideias de culpa – 11.6
Instituto de Ciência do
    Espírito – 8.1
Instituto de Proteção Espiritual
    – 10.1, 24.1, 26.13
internação de * em departamento
    de repouso – 21.3
leitura espiritualista – 2.2, 2.4
leitura na alma de Túlio
    Mancini – 14.4
longa excursão – 2.4
marco de início da obra
    redentora – 15.2
matrícula em colégio de estudos
    preparatórios – 16.1

mecanismo das relações
    espirituais – 8.3
morte de um migo – 11.6
nomeação de * como guia
    espiritual – 22.9
paz de consciência – 22.10
pedido de atividade no
    lar terrestre – 12.1
pedido de perdão –
    20.1, 20.3, 20.7
pensamentos contraditórios de *
    sobre Túlio Mancini – 14.2
primeira ida ao lar – 18.1
primeiro encontro de
    Evelina Serpa – 1.4
provas da reencarnação – 16.7
reencontro de * com
    Evelina Serpa – 5.7
retorno de * ao Instituto de
    Proteção Espiritual – 26.13
serviço de guia espiritual – 22.9
sofrimento moral – 3.1
suposto assassino de
    Desidério – 11.6, 19.7
tempo de permanência de * no
    Mundo Espiritual – 20.2
trinta anos de trabalho na
    cidade espiritual – 22.10
Vera Celina, filha – 16.3,
    18.10, 19.4,
    19.7, 20.9
visita ao ambiente
    doméstico – 19.5
visita de * aos parentes no
    plano físico – 17.7
visita de Alzira Campos – 7.1

Fé
    essência dos ofícios
        religiosos – 10.3
    mãe amorosa – 12.7

Felicidade
    obra de construção
        progressiva – 26.14
    obra do tempo – 16.6

Ficha de identificação
    Ernesto Fantini – 11.3
    Evelina Serpa – 10.5
    mesma * no plano
        espiritual – 11.3

Fidelidade
    instrumento de medição – 17.7

Forrar
    significado da palavra – 4.6, nota

G

Grande Fronteira *ver*
    Desencarnação

Gravidez
    características individuais – 26.5
    nome na arena dos
        homens – 26.5

Guia espiritual
    serviço de *, Ernesto e
        Evelina – 22.9

H

Hidroterapia
    obrigatoriedade e
        consequências – 6.3

Homem
    oscilação do * entre * animalidade
        e humanização – 15.3

Humanidade encarnada
  revisão superficial – 9.4
Humildade
  aproveitamento das
    críticas – 23.2

I

Igreja
  renovação da * no Mundo
    Espiritual – 9.8
Ilaquear
  significado da palavra
    – 15.4, nota
Individualidade eterna
  estruturação – 11.2
Inferno
  definição de * engenhado
    pelas religiões – 11.5
Instituto de Ciências do Espírito
  Celusa Tamburini, Sra. – 8.1
  Cláudio, irmão, mentor
    – 8.1, 8.4, 13.1
  Ernesto e Evelina – 8.1
Instituto de Proteção Espiritual
  acolhimento de Ernesto Fantini
    – 10.1, 24.1, 26.13
  acolhimento de Evelina Serpa
    – 10.1, 14.9, 24.1, 26.13
  aparelhos para registros do
    pensamento – 10.1
  complexos de culpa – 11.5
  Instrutor Ribas – 10.1
  Plotino, chefe de caravana
    socorrista – 24.1
  Ribas, instrutor-médico – 10.1
  Telmo, funcionário – 10.1

Instituto de psiquiatria protetora
  Mundo Espiritual – 9.8
Instituto de Serviço para
  a Reencarnação
  considerações – 26.1, nota
  matrícula voluntária de
    Túlio Mancini –
    26.1
Inumação
  significado do termo – 25.2, nota
Isa, irmã, enfermeira
  Evelina Serpa – 5.3

J

Jesus
  confiança – 10.5
  demonstração da vida
    eterna – 10.3
  Evelina e lembranças – 10.4
  fatalidade da morte e imagem
    de * crucificado – 4.3
  interpretações dos
    ensinamentos – 12.4
  ressurge da campa – 3.4
Joaquim
  desencarnação – 26.12
  esposo de Mariana – 26.10
  pai biológico de Desidério,
    reencarnado – 26.13
Justiça eterna
  foro íntimo – 11.4

L

Lei de causa e efeito
   provação de um corpo frustrado – 15.5, 15.6

Leis de Deus
   equipe de corações comprometidos – 26.3
   segurança – 22.7

Letícia, irmã
   assistência para Alzira Campos – 7.2

Libertação
   condições – 23.12

Liszt, Franz
   anotações – 7.4, nota

Livre-arbítrio
   escolha do caminho de evolução – 13.3

M

Mãe
   perdão para * solteira banida do lar – 23.11

Mal
   esquecimento do * e prática do bem – 23.11

Mancini, Túlio
   acolhimento de * no lar de Ambrósio – 14.1
   análise da situação – 22.1
   autorreeducação – 15.4
   Caio Serpa, assassino – 14.4, 23.6
   conversa de Evelina Serpa – 14.5
   cooperação de Evelina no desastre moral – 15.4
   diálogos terapêuticos – 16.2
   encontro com Evelina Serpa – 13.9
   Evelina e Fantini, dez meses de assistência – 17.10
   Evelina, ex-noiva – 10.6, 14.4, 14.5
   Evelina, mentora maternal – 15.8, 16.3
   história – 15.4
   ideia central e ideias-satélites – 16.5
   matrícula no Instituto de Serviço para a Reencarnação – 26.1
   miniaturização – 16.6
   perdão ao assassino Caio – 25.6
   povo da terra da liberdade – 14.8
   previsão para a reencarnação – 21.5, 22.6, 25.8
   reclusão em solitária dependência – 16.2
   recolhimento à cela especial – 14.9
   reconciliação entre * e Caio – 21.5
   reencontro de * com Evelina Serpa – 13.9
   renascimento de * no lar de Caio e Vera – 21.5, 22.6, 25.8, 26.6
   suicida – 10.6
   terra da liberdade – 14.8
   Vera recebe a visita do futuro filho – 26.1
   volta criteriosamente vigiada ao campo terrestre – 26.5

Máquina voadora
   tarefas de identificação e assistência – 13.2

Índice geral

utilização do poder de
  volitação – 13.2
Mariana, dona
  desdobramento espiritual – 26.9
  desencarnação – 26.13
  Evelina e Ernesto, futuros
    pais – 26.9
  Joaquim, esposo – 26.10
  mãe biológica de Desidério,
    reencarnado – 26.9, 26.13
  novo domicílio na vida
    maior – 26.10
Matéria
  conceito – 9.3
  condições da * no Mundo
    Espiritual – 9.6
  diversos graus de
    condensação – 8.1
  luz coagulada – 9.3
Memória
  obscurecimento da *
    regressa – 11.2
  retomada da * do tempo – 11.1
Miniaturização
  significado do termo – 16.6, nota
  Túlio Mancini e aceitação
    voluntária – 16.6
Moléstia
  interpretações sobre a vida
    e a morte – 3.4
Morte
  convivência com a sociedade
    serena – 5.7
  Ernesto e certeza da * do
    corpo físico – 14.2
  Evelina Serpa e ideia – 1.3
  imagem de Jesus crucificado
    e fatalidade – 4.3

obrigações que nos esperam
  depois – 26.3
reatamento da união
  conjugal depois – 17.4
redução de tempo na existência
  material – 17.7
reparação de enganos na
  vida depois – 21.4
sensações depois – 8.7
simbologia da charrete – 2.2, 2.3
Mundo Espiritual
  admissão da realidade – 8.7
  asilos a irmãos desajustados – 9.6
  cassações – 13.7
  condições da matéria – 9.6
  consciência, anotações
    autobiográficas – 10.5
  construções sólidas – 9.6
  coragem para ver os vivos – 11.6
  denominações – 9.4
  desaparecimento dos
    condicionamentos
    mentais – 12.5
  domicilio da realidades
    excelsas – 12.6
  enfermos da mente – 9.6
  exercício da caridade – 12.8
  gênero de transeuntes – 13.4
  hospital – 9.8
  idealização no * da vida no
    mundo terrestre – 26.3
  idealização no mundo terrestre da
    continuação da vida – 26.3
  individualidade das
    sensações – 8.7
  insignificância dos hábitos
    terrestres – 12.5
  Instituto de Proteção
    Espiritual – 10.1

Índice geral

Instituto de psiquiatria
protetora – 9.8
modificação repentina
do Espírito – 9.4
motivo da inadaptação – 10.3
ocorrências telepáticas – 8.1
organizações de
beneficência – 9.6
presença da matéria e da
Natureza – 8.3
processo de criação dos
edifícios – 9.6
projeções mentais do
homem – 9.4
reatamento da união
conjugal – 17.4
rebeldes à luz – 13.4
renovação da Igreja – 9.8
técnicas, vocações, competências
pessoais – 9.6
tempo de permanência de
Evelina – 18.4, 18.9
vozes da verdade – 12.5

Mundo terrestre
coragem para ver os
mortos – 11.6
dilatação da hipnose – 11.2
enfermos da mente – 9.6
idealização no * da
continuação da vida
no Mundo Espiritual – 26.3
idealização no Mundo
Espiritual da vida – 26.3
modificação repentina
do Espírito – 9.4
obscurecimento das memórias
pregressas – 11.2
organizações de
beneficência – 9.6

pensamento do homem – 9.4
processo de criação dos
edifícios – 9.6
projeções mentais do
homem – 9.4
projeções temporárias de nossas
criações mentais – 9.4
situação das potências
da alma – 11.2

Museu
considerações – 18.4, nota

N

Nadir
significado da palavra – 8.5, nota

Nicomedes, irmão
Corina, filha – 7.4
retorno da esposa – 7.4
visita de Alzira Campos – 7.4

Nosocômio
significado da palavra – 6.2, nota

O

Obediência
conceito – 14.9

Outra vida *ver* Mundo Espiritual

Outro lado *ver* Mundo Espiritual

P

Patifes! Sumam, sumam daqui!
considerações sobre a
expressão – 13.8, nota

Pensamento
 construção de estranhas
  edificações – 13.2
 exteriorização do * em forma
  de auréola – 12.3
 floresta de fluidos
  condensados – 13.2
 mundo terrestre e * do
  homem – 9.4
 recusa de * nos fenômenos
  da morte – 4.2
Perdão
 aprendizado do * diante das
  vicissitudes – 23.11
 despotismo dos pais e *
  dos filhos – 23.11
 mãe desventurada e * para
  os algozes – 23.11
 pais e * para os filhos
  ingratos – 23.11
Perispírito
 simbologia da charrete – 2.2, 2.3
Personalidade
 estruturação de uma
  * nova – 11.2
Personalidades-legendas
 desempenho da função de
  * na Terra – 23.1
Pervertido
 sentido da palavra – 13.5
Plotino, irmão
 chefe da caravana
  socorrista – 24.1
 Instituto de Proteção
  Espiritual – 24.1
Praia do Mar Casado
 localização – 21.2, nota

Priscila
 culto do Evangelho no
  lar – 13.1, 13.7
 orientação espírita-cristã – 13.8

Q
Quarta Parada
 considerações – 25.2, nota

R
Rancho
 significado da palavra
  – 12.2, nota
Reencarnação
 compreensão da * como
  período de escola – 17.6
 correção das afeiçoes
  transviadas através – 24.9
 dádiva da * de sofrimento
  regenerativo – 12.6
 exame da nova – 13.6
 objetivo – 8.6
 recapitulação – 17.4
 tarefa de abnegação e
  heroísmo obscuro – 12.6
Região extrafísica *ver*
 Mundo Espiritual
Responsabilidade
 desenvolvimento da *
  e compreensão da
  reencarnação – 17.6
 dor moral e medida da
  noção – 10.5
 graduação – 11.4

Ribas, instrutor-médico
  casamento – 17.6
  conversa de Evelina Serpa – 15.2
  esposo-legenda na Terra – 23.2
  instrutor do Instituto de
    Proteção Espiritual – 10.1
  martírio da consciência – 11.8
  problemas de consciência
    – 11.5, 11.8

Santos, Desidério dos
  Amâncio e Brígida – 21.10,
    22.8, 26.9, 26.13
  Amâncio, assassino – 20.6, 22.7
  atenções de Elisa – 20.6
  Brígida, esposa – 20.6, 21.10
  conversa de Ernesto Fantini,
    Espírito – 20.1
  encontro com Elisa no
    Mundo Espiritual – 26.7
  Espírito vingador – 20.1
  Evelina Serpa, filha – 21.3,
    22.3, 22.7, 24.10
  fraterno socorro de Ernesto - 22.1
  internação de *, Espírito,
    em hospital – 25.1
  intervenção para que * liberte
    Elisa – 24.2, 24.10
  justiça do mundo, Justiça
    Divina – 20.1
  libertação de Elisa
    Fantini – 24.10
  obsessor de Elisa Fantini
    – 19.7, 20.3, 20.7
  previsão de matrimônio
    entre Elisa – 22.9
  previsão para a reencarnação
    – 21.10, 22.8

reencarnação de * como
  filho adotivo – 22.7-
  22.9, 26.9, 26.13
reencontro de Evelina
  Serpa – 24.4
reencontro de * com Elisa no
  plano físico – 22.9, 26.7

S

Serpa, Caio, advogado
  assassino de Túlio Mancini
    – 14.4, 23.6
  assunção de largas dívidas – 22.6
  ausência do perdão da
    esposa – 10.7
  caráter – 4.4
  domínio de * sobre os bens
    materiais de Ernesto – 22.5
  Elisa reencarnará como
    filha – 22.6, 26.8
  Elisa, sogra – 22.3
  Evelina Serpa, esposa – 1.2, 10.6
  infidelidade conjugal, remorso
    – 4.7, 10.7, 18.8
  posse dos patrimônios de
    Elisa e Vera – 22.6
  previsão para a
    desencarnação – 22.6
  reconciliação entre * e
    Túlio – 21.5
  reencarnação de Elisa
    como filha – 22.6
  reencarnação de Túlio como
    filho – 21.5, 22.6, 25.8, 26.6
  reencarnação de Túlio como
    filho primogênito – 22.6
  Vera Celina e promessa de
    casamento – 25.8

Índice geral

Vera, noiva – 25.8
Serpa, Evelina dos Santos
  ablação de um tumor – 5.3
  aborto terapêutico – 1.2, 10.6, 15.5, 19.2
  acolhimento de * no Instituto de Proteção Espiritual – 10.1
  admissão à caravana de Cláudio – 13.1
  alterações orgânicas – 1.2, 1.5
  Amâncio, padrasto – 4.6, 21.3
  anotações autobiográficas – 10.5
  banhos terapêuticos – 8.1
  Brígida, mãe – 4.6, 26.9
  Caio Serpa, advogado, esposo – 1.2, 10.6
  casamento de *, com Ernesto Fantini – 26.4, 26.14
  cirurgia difícil – 1.4
  clarividência, reencarnação – 7.5
  complexo de culpa – 3.3
  comunhão com a verdade espiritual – 10.3
  confissão com padre católico – 6.5, 9.7
  conversa de Ribas – 15.2
  conversa de Túlio Mancini – 14.5
  conversa pelo idioma do pensamento – 14.4
  convivência com a sociedade serena – 5.7
  cooperação de * no desastre moral de Túlio – 15.4
  débito da conta junto a suicida anônimo – 15.6
  demonstração da sobrevivência – 2.4
  departamento de repouso e internação – 21.3
  desencarnação – 4.8
  Desidério dos Santos, pai biológico – 21.3, 22.7, 24.10
  diplomação para o magistério – 10.6
  encontro com Túlio Mancini – 13.9
  encontro de * com Ernesto Fantini – 1.4
  enteada de Amâncio – 4.6, 21.3
  esquiva dos perigos da cirurgia – 1.3
  ficha de *e explicações de Isa, enfermeira – 5.3
  ficha de identificação – 10.5
  filmagem da palestra de * com Ribas – 10.2
  formação do caráter – 9.7
  futura mãe de Mariana – 26.9
  gestos de desconsideração de Túlio – 14.7
  gravidez e aparecimento de doença – 1.2
  ideia da morte – 1.3, 4.1
  infidelidade de Caio – 4.7, 10.7, 18.8
  Instituto de Ciência do Espírito – 8.1
  Instituto de Proteção Espiritual – 0.1, 14.9, 24.1, 26.13
  internação de * em departamento de repouso – 21.3
  leitura do Novo Testamento – 5.4
  leitura na alma de Túlio Mancini – 14.4
  lembranças de Jesus – 10.4
  marco de início da obra redentora – 15.2

Índice geral

matrícula em colégio de estudos
  preparatórios – 16.1
memórias – 3.2, 10.6
mentalização inconveniente – 5.5
mentora maternal de
  Túlio – 15.8, 16.3
motivo da inadaptação à
  vida espiritual – 10.3
nomeação de * como guia
  espiritual – 22.9
pagamento de débito junto a
  suicida anônimo – 15.6
parentes que nos precederam
  na nova vida – 8.3
paz de consciência – 22.10
pedido de atividade no
  lar terrestre – 12.1
possibilidade de reencontro com
  o pai e o filho mortos – 1.3
preleção de Cláudio e novo
  estado espiritual – 9.1
primeira ida ao lar – 18.1, 18.4
primeiros tempos de vida
  espiritual – 10.2
provas da reencarnação – 16.7
recordações do templo
  religioso – 10.4
reencarnação de Túlio como
  filho – 21.5, 22.6, 25.8, 26.6
reencarnação de Túlio como
  filho primogênito – 22.6
reencontro de * com
  Desidério – 24.3
reencontro de * com
  Ernesto Fantini – 5.7
restabelecimento – 5.2
retorno de * ao Instituto de
  Proteção Espiritual – 26.13
retratação moral – 10.4
rompimento das trancas
  mentais – 10.4
sentimento de robustez
  orgânica – 5.2
serviço de guia espiritual – 22.9
socorro da ciência médica – 1.3
tempo de permanência de * no
  Mundo Espiritual – 18.1, 18.9
trancas mentais das realidades
  eternas – 10.4
trinta anos de trabalho na
  cidade espiritual – 22.10
Túlio Mancini, ex-noivo –
  3.2, 10.6, 13.9, 14.5
utilidade da maternidade
  malograda – 15.5
vantagens e riscos da operação
  cirúrgica – 1.1
visita de * ao antigo lar – 21.7
visita de * ao plano
  físico – 17.1, 18.3
visita de Alzira Campos – 7.1

Sexo
  faculdade criativa – 15.3

Shakespeare, William
  anotações – 3.4, nota

Sinalização morfológica
  ordenações mentais e
    modificações – 11.3
  plástica cirúrgica – 11.3

Sociedade
  convivência de Evelina
    com a * serena – 5.7

Sono físico
  simbologia da charrete – 2.2, 2.3

Suicida anônimo
  pagamento de débito de
    Evelina junto – 15.6

Suicídio
　ápices de doenças psíquicas – 3.2

T

Tálamo
　significado da palavra – 1.3, nota

Tamburini, Celusa
　admissão à caravana de
　　Cláudio – 13.1
　Cláudio, mentor em serviço – 8.4
　encontro de cultura
　　espiritual – 8.4
　estudos magnéticos – 7.5
　Instituto de Ciências do
　　Espírito – 8.1

Telmo, funcionário
　Instituto de Proteção
　　Espiritual – 10.1

Templo da Nova Revelação
　templo religioso no Mundo
　　Espiritual – 12.3

Tempo
　aproveitamento dos
　　tesouros – 12.5
　auxílio na descoberta da
　　fonte do amor – 24.7
　desprezo às oportunidades – 12.6

Terra, planeta
　função da * na economia
　　cósmica – 8.5
　objetivo da vida no
　　corpo físico – 8.6
　população – 8.5, nota

Terra, Amâncio
　arrependimento – 24.5
　assassino de Desidério dos
　　Santos – 20.6, 22.7
　homem humano e
　　caritativo – 22.7
　obtenção de moratória – 22.8
　padrasto de Evelina Serpa
　　– 4.6, 21.3, 24.4
　reencarnação de Desidério
　　como filho adotivo – 22.7-
　　22.9, 26.9, 26.13
　segundo esposo de Brígida
　　– 20.6, 21.10

Todo-Misericordioso *ver* Deus

Tolerância
　vicissitudes da experiência
　　humana – 23.11

U

Úsnea
　significado da palavra
　　– 19.8, nota

V

Vale de sombras
　força mental e criação – 13.4

Verdade
　inverossimilhança – 9.7
　vozes da * e ouvidos do
　　corpo físico – 12.5

Via Anchieta
　localização – 18.1, nota

Vida eterna
　demonstração – 10.3

Volitação
　máquinas voadoras e
　　poder – 13.2, nota

Zênite
　significado da palavra – 8.5, nota

EDIÇÕES DE *E A VIDA CONTINUA...*

ED.	IMPR.	ANO	TIRAGEM	FORMATO
1	1	1968	10.000	12,5x17,5
2	1	1969	5.000	12,5x17,5
3	1	1970	10.034	12,5x17,5
4	1	1973	10.200	12,5x17,5
5	1	1975	20.200	12,5x17,5
6	1	1977	10.200	12,5x17,5
7	1	1978	10.200	12,5x17,5
8	1	1980	10.200	12,5x17,5
9	1	1981	10.200	12,5x17,5
10	1	1982	10.200	12,5x17,5
11	1	1984	5.100	12,5x17,5
12	1	1984	10.200	12,5x17,5
13	1	1985	10.200	12,5x17,5
14	1	1986	15.200	12,5x17,5
15	1	1987	20.000	12,5x17,5
16	1	1988	20.200	12,5x17,5
17	1	1990	15.000	12,5x17,5
18	1	1991	15.000	12,5x17,5
19	1	1992	15.000	12,5x17,5
20	1	1993	15.000	12,5x17,5
21	1	1994	15.000	12,5x17,5
22	1	1995	15.000	12,5x17,5
23	1	1996	24.000	12,5x17,5
24	1	1998	10.000	12,5x17,5
25	1	2000	5.000	12,5x17,5
26	1	2000	5.000	12,5x17,5
27	1	2001	5.000	12,5x17,5
28	1	2002	10.000	12,5x17,5
29	1	2003	5.000	12,5x17,5
30	1	2004	10.000	12,5x17,5
31	1	2006	6.000	12,5x17,5
32	1	2006	9.000	12,5x17,5
33	1	2007	15.000	12,5x17,5
34	1	2003	5.000	14x21
34	2	2008	2.000	14x21

EDIÇÕES DE *E A VIDA CONTINUA...*

ED.	IMPR.	ANO	TIRAGEM	FORMATO
34	3	2010	3.000	14x21
34	4	2010	15.000	14x21
35	1	2014	4.000	14x21
35	2	2014	10.000	14x21
35	3	2015	8.000	14x21
35	4	2016	5.000	14x21
35	5	2017	4.000	14x21
35	6	2017	5.500	14x21
35	7	2018	1.800	14x21
35	8	2018	2.000	14x21
35	9	2018	2.000	14x21
35	10	2019	2.000	14x21
35	11	2019	1.800	14x21
35	12	2020	5.000	14x21
35	13	2021	4.000	14x21
35	14	2022	5.000	14x21
35	15	2024	3.000	14x21
35	16	2024	4.000	14x21

EDIÇÃO ESPECIAL COMEMORATIVA DO FILME

ED.	IMPR.	ANO	TIRAGEM	FORMATO
1	1	2012	500	14x21
1	2	2012	5.000	14x21

FEB editora
Livro espírita para um novo mundo
www.febeditora.com.br
@febeditoraoficial
@febeditora

Conselho Editorial:
Carlos Roberto Campetti
Cirne Ferreira de Araújo
Evandro Noleto Bezerra
Geraldo Campetti Sobrinho – Coord. Editorial
Jorge Godinho Barreto Nery – Presidente
Maria de Lourdes Pereira de Oliveira
Miriam Lúcia Herrera Masotti Dusi

Produção Editorial:
Elizabete de Jesus Moreira

Revisão:
Davi Miranda
Denise Giusti
Elizabete de Jesus Moreira
Perla Serafim

Capa:
Evelyn Yuri Furuta

Projeto Gráfico:
Rones José Silvano de Lima – instagram.com/bookebooks_designer

Diagramação:
Helise Oliveira Gomes

Foto de Capa:
AleksandarNakic / istock.com
Harlanov / dreamstime.com
Serp / dreamstime.com

Foto Chico Xavier:
Grupo Espírita Emmanuel (GEEM)

Normalização Técnica:
Biblioteca de Obras Raras e Documentos Patrimoniais do Livro

Esta edição foi impressa pela Gráfica e Editora Qualytá Ltda., Brasília, DF, com tiragem de 4 mil exemplares, todos em formato fechado de 140x210 mm e com mancha de 104x168mm. Os papéis utilizados foram o Off white bulk 58 g/m² para o miolo e o Cartão 250 g/m² para a capa. O texto principal foi composto em fonte Adobe Garamond 12/15 e os títulos em Adobe Garamond 28/30. Impresso no Brasil. *Presita en Brazilo.*